A Simon !

longue vie dans le
monde de la
course à pied –
... toujours au bon rythme ...

Jean-Yves
Leblanc

**Catalogage avant publication de Bibliothèque et Archives nationales du Québec et Bibliothèque et Archives Canada**

Cloutier, Jean-Yves, 1957-
    Le coach répond à vos questions sur la course à pied

ISBN 978-2-89705-403-8

1. Course à pied - Entraînement. I. Titre.
GV1061.5.C563 2016        796.42        C2016-940336-X

Présidente : Caroline Jamet
Directeur de l'édition : Jean-François Bouchard
Directrice de la commercialisation : Sandrine Donkers
Responsable, gestion de la production : Carla Menza
Communications : Marie-Pierre Hamel

Éditrice déléguée : Nathalie Guillet
Conception graphique : Simon L'Archevêque
Photo de la couverture : Katya Konioukhova
Révision linguistique : Marie Auclair
Correction d'épreuves : Natacha Auclair

Rédaction : Robert Smilga

L'éditeur bénéficie du soutien de la Société de développement des entreprises culturelles du Québec (SODEC) pour son programme d'édition et pour ses activités de promotion.

L'éditeur remercie le gouvernement du Québec de l'aide financière accordée à l'édition de cet ouvrage par l'entremise du Programme de crédit d'impôt pour l'édition de livres, administré par la SODEC.

Nous remercions le Conseil des arts du Canada de l'aide accordée à notre programme de publication.

Financé par le gouvernement du Canada
Funded by the Government of Canada

LES ÉDITIONS **LA PRESSE**
7, rue Saint-Jacques
Montréal (Québec)
H2Y 1K9

**JEAN-YVES CLOUTIER**

entraîneur et auteur

# LE COACH RÉPOND À VOS QUESTIONS

## SUR LA COURSE À PIED

Avec la collaboration de Robert Smilga

LES ÉDITIONS **LA PRESSE**

À la mémoire de Michel,

mon camarade de longue date et le
coauteur de *Courir au bon rythme* 1 et 2.

# TABLE DES MATIÈRES

# PRÉFACE

Gerry Therrien, mon père, a toujours été un modèle pour moi. Grande source d'inspiration tout au long de ma vie, il m'a inculqué dès mon jeune âge de belles valeurs, des valeurs qui m'ont accompagné dans mon cheminement sportif.

Il savourait pleinement la vie. À la moindre occasion, il ne se gênait pas pour nous raconter une anecdote savoureuse qui nous donnait chaque fois le fou rire. Pour moi, il incarnait la joie de vivre.

Gerry était un grand sportif par son amour du hockey... et de la course à pied. Coureur à pied redoutable dans la soixantaine, lui qui s'était initié à ce sport sur le tard, il ne lui fallut que quelques années d'entraînement pour atteindre les fameux standards de qualification du prestigieux Marathon de Boston. Cela m'a toujours impressionné !

Après le décès de mon père en 2007, je fis la rencontre de Jean-Yves Cloutier, celui qui avait été son coach. Jean-Yves avait accueilli mon père au sein du Club Les Vainqueurs, un milieu qui devint sa deuxième famille et où les conditions gagnantes étaient réunies pour qu'il puisse s'entraîner sérieusement. Sérieusement et joyeusement à la fois, en groupe avec ses amis, tout en partageant une passion commune.

En discutant avec Jean-Yves, j'appris qu'il avait eu beaucoup de plaisir à coacher Gerry, car mon père était un leader au sein du club. À la fin de notre échange, il me confia : «Ton père t'aimait beaucoup et il sera toujours là derrière toi. »

J'aimerais souhaiter à Jean-Yves Cloutier, un coach lui aussi toujours présent auprès de ses athlètes, un franc succès à l'occasion du lancement de son troisième ouvrage sur la course à pied. Je suis convaincu que le coach, qui puise ici dans sa vaste expérience, saura encore une fois aider les gens à atteindre leur objectif en course à pied, avec le sourire surtout, comme il l'a si bien fait pour mon père.

— **Michel Therrien,**
**Entraîneur des Canadiens de Montréal**

# HOMMAGE À MON AMI MICHEL GAUTHIER

Michel Gauthier, journaliste et coauteur des deux tomes de *Courir au bon rythme,* nous a malheureusement quittés en juillet 2014. Juste avant son décès, nous venions à peine de commencer l'écriture d'un troisième bouquin sur la course à pied.

Depuis sa tendre enfance, Michel a toujours été un grand passionné de course à pied et un mordu de l'écriture. Michel, qui se donnait comme surnom «l'autre», aura contribué par la qualité de sa plume à transmettre sa passion à des milliers de coureurs au Québec.

Michel et moi étions des amis de longue date. Fidèle complice de la première heure, il m'aura permis de ressentir avec lui la joie d'un grand succès, une diffusion de plus de 40 000 exemplaires de *Courir au bon rythme* et le privilège de vivre des rencontres mémorables avec plusieurs de nos lecteurs.

Je salue la contribution de Michel Gauthier à la promotion de notre sport et son accompagnement, par l'écrit, de tous ces coureurs à pied dans la poursuite de leurs objectifs.

Salut, Michel!

# INTRODUCTION

Voici un ouvrage qui répondra aux interrogations de milliers d'adeptes de course à pied qui sillonnent aujourd'hui les routes, les pistes et les sentiers du Québec. Il s'inspire essentiellement de ce que j'ai vécu sur le terrain, comme entraîneur, au cours de mes trente-cinq années de carrière. Tout au long de mon parcours, j'ai eu le privilège d'entraîner et de conseiller environ trois mille coureurs de tous les niveaux, du coureur débutant jusqu'à l'athlète de l'élite internationale. Des questions, on m'en a posé! Elles sont à la base de ce bouquin.

Nous célébrons cette année le quarantième anniversaire des Jeux olympiques de 1976 à Montréal. Oui, déjà! Histoire de faire un clin d'œil à ce jalon de notre vie collective, j'ai donc choisi les 76 questions qui me sont le plus souvent posées à l'entraînement, en entrevue auprès des médias ou au cours des conférences publiques que je donne régulièrement depuis quelques années.

Variées, elles traitent des préoccupations que j'observe chez l'ensemble des coureurs que je côtoie. Ainsi, que vous soyez un coureur récréatif ou compétitif, vous vous reconnaîtrez dans ces pages. Par ailleurs, des questions plus pointues sur l'alimentation, la santé ou l'équipement, par exemple, méritaient que je consulte quelques spécialistes que je sais proches du milieu de la course à pied. Je vous rapporte donc leurs propos dans certaines sections de ce livre, pour un éclairage plus complet sur ces dimensions de notre sport.

Ce guide pratique de la course à pied vous est proposé dans la continuité des deux tomes du livre à succès *Courir au bon rythme*. Il en épouse la philosophie et se base sur la même approche d'entraînement. Avec l'aide à la rédaction de mon collègue Robert Smilga, rédacteur à ses heures et coureur convaincu, j'ai aussi voulu poursuivre sur le même ton, en faisant appel à des notions d'entraînement simples et accessibles et en proposant des objectifs toujours réalistes.

Ce bouquin n'a aucune prétention scientifique. Il est le fruit de mes observations, recueillies sur le terrain au fil des années en tant qu'athlète, organisateur et entraîneur. Je vous présente donc mon constat personnel de ce qui fonctionne en course à pied!

Robert et moi vous souhaitons une excellente lecture.

# 1:00

## POURQUOI COURIR ?

# COURIR, C'EST SUIVRE UNE MODE OU C'EST UN MODE DE VIE ?

·1:01

**La course à pied au Québec, forte de son million et plus d'adeptes, connaît un essor fulgurant depuis 2005. C'est une deuxième vague, en quelque sorte, après une période de grande popularité dans les années 1980. Mais cette fois-ci, nous assistons à un véritable phénomène.**

Pour avoir été un témoin de la «première vague», je constate qu'il y a autant d'adeptes de la course à pied aujourd'hui qu'il y en avait à l'époque. La grande différence, c'est la participation féminine aux courses organisées : elle a triplé. Aussi, l'humeur qui prévaut aujourd'hui penche beaucoup plus du côté récréatif. Auparavant, l'esprit de compétition ou de dépassement de soi dominait.

Autre changement, cette nouvelle vague a ouvert la porte à plusieurs créneaux d'un marché très lucratif : boutiques spécialisées, cliniques de médecine du sport, groupes d'entraînement, nouveaux comités organisateurs d'événements populaires, et bien sûr toute une panoplie d'équipements et de produits de consommation.

J'ai connu également le creux de la vague en course à pied au cours des années 1990. Les courses organisées disparaissaient à vue d'œil et plusieurs coureurs optaient pour la nouvelle mode de l'époque, le vélo. Mais oublions ça, c'est du passé !

## AIMEZ-VOUS LES MODES ?

Si vous suivez tout bonnement la mode de la course à pied, «juste pour le fun», alors je vous dis : et pourquoi pas ! Vous ne m'en voudrez pas de rire un peu dans ma barbe tout de même, parce que je sais que si votre petite expérience dure le moindrement, vous n'aurez pas le choix d'ajuster votre mode vie. Horaire, alimentation, sommeil et le reste. Pour tenir le coup.

Le danger auquel on s'expose, par contre, en suivant une mode, c'est l'attrait des recettes miracles proposées par les experts et gourous de tous genres. Demeurez vigilant ! Se lancer dans un programme mal adapté à sa réalité ou consommer n'importe quoi peut mener à des ennuis.

Quelle qu'ait été sa durée, votre épisode de course à pied sera de l'expérience en banque. L'important, c'est de bouger ! Vous aurez peut-être atteint un certain niveau de forme et serez prêt à passer sans heurt à un autre sport, une autre aventure !

## UN MODE DE VIE POUR LA VIE

Si par contre vous optez pour un nouveau mode de vie à long terme, celui de la course à pied, vous aurez envie de progresser. Réfléchissez. La modération a toujours meilleur goût, comme on dit. La clé de la réussite, c'est de se donner chaque année des objectifs réalistes adaptés à ses capacités, qui évoluent.

Selon les études, en pratiquant la course à pied un petit vingt minutes à raison de quatre fois par semaine, vous pouvez augmenter de quatre ans votre espérance de vie. Et augmenter aussi votre qualité de vie, soit dit en passant.

Il n'y a pas que des objectifs et des gains à faire dans ce monde de la course ! Compléter son premier marathon, courir avec ses enfants, courir à l'étranger, rencontrer de nouveaux amis sont des moments mémorables dans la vie d'un coureur, des moments qui n'ont pas de prix. Je vous les souhaite.

# CE QU'IL
# FAUT SAVOIR

# QUELLES SONT LES ÉTAPES À SUIVRE POUR COMMENCER À COURIR ?

**Vous avez le goût de retrouver la forme après une pause de quelques années ? Vous constatez en vous regardant dans le miroir que vous avez des kilos en trop ? Votre souffle est plus court lorsque vous montez les escaliers ? Vous aimeriez retrouver une seconde jeunesse ou cette vigueur que vous aviez dans un passé pas si lointain ? La course à pied, vous vous en doutez bien, est une option pour se remettre en forme. Mais est-ce une option de choix ?**

Chose certaine, la course à pied, sport pratique et accessible, s'adresse à tous. Ses adeptes se situent dans toutes les tranches d'âge. Ils la pratiquent sur une base saisonnière ou tout au long de l'année, et pour toutes sortes de raisons. Plusieurs, bien sûr, aspirent à améliorer leur condition physique ou simplement à demeurer en bonne santé. D'autres s'adonnent à la course pour la course : leur but est compétitif.

Or, pour la majorité, pas besoin de viser le podium ! Même pratiquée avec modération, la course à pied est une excellente dépense énergétique. Par ailleurs, la modération a ses mérites. D'abord, la prévention : il faut rester vigilant et être à l'écoute de son corps en tout temps. Gardez à l'esprit qu'à chaque foulée, vos articulations et vos muscles supporteront trois à cinq fois votre poids corporel. Ensuite, la progression : c'est en restant sur son appétit tout en respectant un programme que les performances s'améliorent.

Rester sur son appétit? J'espère que ce livre saura vous convaincre de la sagesse de cette approche.

## FAUT-IL CONSULTER UN MÉDECIN AVANT DE COMMENCER ?

Si vous êtes inactif depuis plusieurs années, que vous approchez la quarantaine, que vous avez l'ambition de retrouver la forme de votre jeunesse ou que vous nourrissez de grands espoirs de performance, il vaut mieux consulter un professionnel de la santé, idéalement associé à une clinique sportive, pour obtenir son feu vert avant de commencer. En ayant reçu une bonne évaluation de votre niveau de forme, vous serez en mesure de choisir un programme d'entraînement adapté à votre condition et de partir du bon pied.

Au cours des dernières années, plusieurs régions du Québec ont vu une augmentation importante des cliniques sportives sur leur territoire, cette évolution répondant très bien à la demande croissante. Ouvertes au public dans bien des cas, les cliniques sportives associées aux universités offrent également un excellent service multidisciplinaire, physiatres, physiothérapeutes et kinésiologues se côtoyant au service des athlètes de l'université et de l'extérieur. Le plus beau de l'histoire, c'est que le temps d'attente dans ces établissements est tout à fait raisonnable.

## COMMENT S'Y PRENDRE POUR ATTEINDRE UN PREMIER OBJECTIF : COURIR JUSQU'À 20 MINUTES SANS ARRÊT

Pour certains, cela peut devenir une hantise, alors qu'il est tout à fait possible d'y arriver sans souffrir inutilement. En course à pied, il faut surtout éviter l'improvisation au cours des premiers mois et se procurer un programme d'entraînement adapté à son niveau de forme initial. En fait, pour un débutant, les trois premiers mois d'entraînement sont très importants et seront déterminants pour la suite.

L'erreur fréquente chez les débutants est courir trop vite, trop longtemps et trop souvent. Avec un programme, la pratique de la course à pied sera plus agréable et deviendra avec le temps une activité qu'on voudra perpétuer.

Dans mon premier bouquin, *Courir au bon rythme*, je proposais aux débutants trois programmes d'entraînements en trois étapes axés sur l'objectif de parvenir à courir 20 minutes en continu. À noter : certains débutants jouissant d'un niveau de forme plus élevé pourront passer directement à la deuxième ou à la troisième étape.

**Étape 1 :** Celle-ci consiste à être en mesure, après quelques semaines, de marcher rapidement 45 minutes à raison de trois fois par semaine. Cette étape très sécuritaire vous permettra de reprendre la forme progressivement après une longue période d'inactivité.

**Étape 2 :** Cette étape intègre progressivement la marche et la course en alternance pour être en mesure, après quelques semaines, de courir un total de 10 minutes sans arrêt. Cette étape importante, et aussi très progressive, permet à vos muscles de s'adapter tranquillement à vos premières foulées.

**Étape 3 :** Cette dernière étape vous amène en quelques semaines à courir un total de 20 minutes sans arrêt. À partir de ce moment, vous aurez franchi une étape importante comme coureur, soit de courir régulièrement 20 minutes continues à raison de trois fois par semaine.

Si vous avez éprouvé de la difficulté à terminer une des étapes, n'hésitez surtout pas à prendre quelques semaines de plus pour y arriver. Vous vous accorderez ainsi le temps nécessaire pour vous adapter à l'effort et consolider vos acquis.

Après avoir franchi ces trois étapes avec succès, vous aurez le minimum requis pour entreprendre un programme d'entraînement en vue d'un premier 5 km en compétition. Vous ne souhaitez pas vous soumettre à cette épreuve ? Vous aurez tout de même le minimum requis pour rester en forme le reste de votre vie !

N'hésitez pas à vous reporter au livre *Courir au bon rythme* pour obtenir des programmes d'entraînement adaptés à votre niveau de forme.

# PENDANT COMBIEN DE TEMPS EST-ON UN COUREUR DÉBUTANT ?

**Le coureur débutant est celui qui pratique la course à pied depuis moins de deux ans, et cela n'a rien à voir avec son niveau de performance ou ses antécédents d'athlète dans un autre sport. Pour tous les débutants en course à pied, les deux premières années d'apprentissage sont un passage obligé pour atteindre la permanence et enfin obtenir un statut de... coureur.**

## DÉBUTANT, MAIS PAS POUR LONGTEMPS !

C'est comme quand on décroche un nouvel emploi. Il faut vivre cette période d'apprentissage obligatoire avant de bien comprendre les rouages de l'entreprise. Durant votre initiation, vous êtes sans doute confié à un parrain, une marraine, enfin quelqu'un qui doit vous *coacher* les premières journées. Le but, c'est de vous rendre autonome le plus rapidement possible.

Ensuite, au fil des semaines, la confiance s'installe tranquillement et le temps fait son œuvre. Avant même que vous ne vous y attendiez, vous vous rendez compte que cette période d'initiation est déjà chose du passé et que vous avez beaucoup appris. Vous n'êtes plus un débutant.

## POURQUOI COUREZ-VOUS ?

Il vous arrive aussi de vous poser la fameuse question : pourquoi je cours ? Cette première réflexion est normale chez le débutant. Pourquoi faire autant d'efforts pour me maintenir en forme ? Qu'est-ce que je cherche, au juste ? Dans l'effort, surtout, on se surprend à se demander mais qu'est-ce que je fais ici ? N'est-ce pas ? Avouez !

L'important est avant tout de courir pour vous et non pour faire plaisir à quelqu'un d'autre, sinon votre carrière de coureur ne sera pas de longue durée.

Ces questions ne sont pas futiles. Ces deux premières années vous permettront de vous connaître un peu plus comme coureur et de vous définir : êtes-vous un coureur récréatif ou plutôt un coureur compétitif qui veut relever de grands défis ?

## VOUS AVEZ LE GOÛT D'APPRENDRE

Durant cette période, vous êtes curieux, enthousiaste, et vous avez soif d'apprendre. Vous survolez tout ce que vous trouvez au sujet de la course à pied sur le web, dans les revues spécialisées et dans certains bouquins que vous auront recommandés des amis. Vous êtes à l'écoute des nouvelles tendances en matière d'équipements et d'accessoires.

Vous découvrez qu'il existe un réseau de courses populaires et qu'il est étendu ! Aussi, vous constatez qu'il comporte des épreuves de tous les styles organisées un peu partout au Québec, au Canada et dans le monde. Vous commencez à rêver ! Vous décidez de vous inscrire à une première compétition, qui se tiendra dans quelques mois. Ce sera votre principal objectif de l'année.

## LE CORPS SE TRANSFORME

Le corps change tranquillement et vous être témoin de l'apparition (!) de nouveaux muscles. Vous souffrez de vos premières courbatures et aussi de vos premiers bobos. Vous tentez, avec difficulté, de comprendre la provenance et la cause de ces petites blessures.

Par vos recherches, vous tentez de trouver des réponses précises concernant ce qui va vous aider à mieux performer et à vous renforcer : physiologie, technique de course, stratégie de récupération, musculation, souplesse et j'en passe.

## VOS HABITUDES DE VIE CHANGENT

Vous prenez conscience que de meilleures habitudes de vie vous permettent d'être encore plus en forme et de mieux récupérer. Vous décidez de modifier vos habitudes alimentaires en coupant les restaurants à l'heure du lunch et vous recherchez un sommeil de qualité.

Votre entraînement prend un peu plus de place dans votre quotidien, car dans quelques mois, vous aurez un objectif à atteindre. Vous ne voulez surtout pas rater votre coup car, hélas, vous avez mis votre entourage au courant de votre intention. Enfin, vous prenez conscience qu'il n'y a pas trop de place pour l'improvisation dans un entraînement.

Vous êtes en train de bâtir vos fondations et d'acquérir une expérience qui vous sera utile tout au long de votre parcours de coureur.

**Un petit conseil :** assurez-vous de bien contrôler votre enthousiasme comme coureur débutant et de ne pas mettre trop de pression sur votre entourage lorsque vous avez l'occasion de faire valoir les bienfaits de la course à pied.

Voir aussi 2:03, *À quel moment devient-on un coureur confirmé ?*

# À QUEL MOMENT DEVIENT-ON UN COUREUR CONFIRMÉ ?

·2:03—

**Le coureur confirmé est celui qui s'entraîne sur une base régulière depuis plus de deux ans ou deux hivers consécutifs et qui a en quelque sorte fait un premier tour du jardin, c'est-à-dire vécu certaines expériences clés en course à pied. Il comprend les exigences et les effets d'un programme d'entraînement et planifie ses compétitions à moyen et à long termes.**

Vous avez vécu la transformation progressive de votre corps, enduré vos premières raideurs musculaires et subi vos premières blessures en course à pied. Après ces deux premières années, vous entrez dans le cercle des coureurs confirmés. Vous avez votre permanence, pour peu que vous persévériez.

Mais cela n'est que la première étape. Vous avez terminé les fondations de votre maison. L'édifice que vous construisez vous occupera pendant plusieurs années, qui seront remplies de progrès, de reculs, de pauses et de péripéties et qui vous feront passer du statut d'amateur à celui de coureur permanent.

Pas besoin pour autant de vivre la pression d'un coureur d'élite. Selon votre degré d'intérêt et votre détermination, et dépendamment de votre penchant compétitif ou récréatif, vous atteindrez forcément un certain niveau de performance, qu'il soit consciemment visé et atteint ou simplement le résultat de votre conditionnement. Le changement, c'est que vous disposez désormais d'outils pour gérer la façon dont vous atteignez ou maintenez ce niveau de performance.

Vous constatez que vous ne battez plus vos records personnels à chaque nouvelle compétition. Si vous vous êtes fixé certains objectifs annuels, votre préparation les semaines précédant certaines courses est rehaussée d'un cran. Votre entraînement est plus soutenu tout au long de l'année. Les longues pauses, à part celles nécessitées par la guérison d'une blessure, ont un prix, surtout si elles surviennent en haute saison. Votre régularité à l'entraînement est devenue une priorité, tout comme le respect des bons rythmes au kilomètre, pour progresser et mieux récupérer.

## L'IMPROVISATION EST MAINTENANT CHOSE DU PASSÉ

Vous êtes devenu plus connaisseur, donc plus compétent. À l'affût des petits trucs ou des bons conseils pour continuer à vous améliorer ou mieux profiter de votre sport, vous portez de plus en plus d'intérêt à tout ce qui se dit dans le domaine de la course à pied.

Surentraînement, abus ou carence quelconque, le coureur confirmé que vous êtes aura quelques remords s'il est conscient d'une mauvaise habitude ou s'il commet la même erreur deux fois!

En ce qui concerne les compétitions, vos objectifs sont davantage établis à long terme. Par exemple, vous avez peut-être décidé de relever le défi de courir votre premier demi-marathon ou même votre premier marathon. Attention, rien ne vous y oblige! Plusieurs coureurs confirmés et même des coureurs d'élite n'ont jamais couru de compétition dépassant la distance de 10 km. Mais quoi que vous visiez, vous ne le visez plus de façon aussi spontanée. C'est planifié. N'empêche que tenter d'obtenir le fameux standard pour se qualifier au célèbre marathon de Boston, par exemple, est une excellente source de motivation pour maintenir la régularité de son entraînement, surtout en basse saison.

Vous pourrez même vous permettre de jouer à l'entraîneur à l'occasion pour conseiller un coureur débutant ou influencer votre entourage en prônant de bonnes habitudes de vie. On vous percevra parfois dans votre milieu comme un ambassadeur de la bonne forme physique et, si vous êtes constant, comme un modèle à suivre.

### L'ENVERS DE LA MÉDAILLE ?

À partir de maintenant, vos parents, amis et collègues vous auront à l'œil! Surtout si vous ne réalisez pas les objectifs que vous aurez eu l'imprudence de clamer trop fort. La meilleure recette est de toujours demeurer discret à ce sujet, sous peine de vous faire rappeler certains chronos fabuleux, un peu ambitieux, voire… illusoires, dont vous avez fait état!

# SUIS-JE UN COUREUR RÉCRÉATIF OU COMPÉTITIF ?

·2:04

Aimez-vous courir sans chrono précis, tout en maintenant une excellente forme physique et en observant les oiseaux? Ou êtes-vous plutôt du genre à courir dans le but premier de relever les plus grands défis et de battre votre meilleure marque personnelle à vie?

Le coureur récréatif admire les oiseaux, le coureur compétitif admire ses chronos!

Récréatif ou compétitif, c'est tout simplement une question de tempérament. Dans toutes les compétitions de course à pied (sauf aux Jeux olympiques!), on retrouve ces deux profils sur la ligne de départ.

Il n'y a pas d'âge pour être compétitif ni de niveau minimal de talent : l'objectif prioritaire est de s'améliorer coûte que coûte ou d'être parmi les meilleurs de son groupe d'âge. Même entreprise sur le tard, dans la quarantaine ou la cinquantaine par exemple, la quête d'excellence peut coexister avec une carrière profession-nelle ou familiale bien remplie, pour peu qu'on ait la motivation et la discipline requises pour bien les gérer.

En revanche, pratiquer la course d'une façon beaucoup plus dé-tendue pour le pur plaisir sur une base récréative est aussi tout ce qu'il y a de plus valable. Les objectifs sont simplement différents. Il ne faut surtout pas oublier que le but premier en course à pied est de maintenir une bonne forme physique. Terminer une épreuve avec le sourire, que ce soit sur 2 km ou sur 42,2 km, est l'objectif d'un nombre croissant d'adeptes, peu importe leur chrono final.

## AVEZ-VOUS DU TALENT ?

Il est intéressant de noter qu'au cours de ma carrière d'entraî-neur, j'ai rencontré à plusieurs occasions des coureurs récréatifs de tous les âges, pourvus d'un grand talent naturel, mais dépour-vus du goût et de la détermination de se dépasser.

Dans de tels cas, ma responsabilité en tant qu'entraîneur est de faire prendre conscience à ces athlètes de leur potentiel et des objectifs intéressants à leur portée, à moyen et long termes. Mais il n'est ni nécessaire ni utile d'insister lorsque le coureur ne sou-haite pas pousser plus loin sa pratique. Il est en général assez dif-ficile de transformer un coureur au tempérament récréatif en coureur compétitif.

## ÊTES-VOUS COMPÉTITIF ?

Si vous êtes du type compétitif, il faut éviter l'improvisation et suivre un programme d'entraînement à votre mesure, conçu en fonction de vos objectifs. Assurez-vous d'avoir des objectifs réalistes et réalisables ! Si vous avez un doute, faites approuver votre programme d'entraînement et vos objectifs par un entraîneur reconnu pour vous assurer que vous êtes sur la bonne voie.

En course à pied, un mauvais dosage ne pardonne pas : vous pourriez «frapper un mur» avant même de courir votre premier marathon.

# POURQUOI EST-CE QUE COURIR AU BON RYTHME, C'EST PAYANT ?

-2:05

**Courir au bon rythme, qu'est-ce que cela veut dire ? En fait, cette expression fait souvent référence à l'endurance fondamentale, le rythme le plus lent à l'entraînement et aussi le plus important. Ce rythme, que je surnomme le R1 depuis la création de mes programmes en 2005, doit être respecté pendant 70 % de votre temps d'entraînement. Courir en endurance fondamentale vous permettra, au fil du temps, de bien progresser et aussi de bien récupérer.**

Récupérer, peut-être, mais... progresser ? Mes athlètes débutants sont souvent sceptiques à l'égard des bienfaits qu'il y a à courir lentement pour s'améliorer. Ce paradoxe n'est pas toujours facile à comprendre au début. Et pourtant, ce rythme est un incontournable à l'entraînement chez tous les types de coureurs, peu importe le niveau.

## COURIR LENTEMENT À L'ENTRAÎNEMENT, UN INVESTISSEMENT À LONG TERME

Essentiellement, l'endurance fondamentale consiste à maintenir ce qu'on appelle un rythme d'«infatigabilité» ou d'équilibre aérobie. Mais attention, cela ne veut pas dire de le maintenir sans effort ! On travaille, mais un peu plus subtilement. En fait, ce rythme exige de hausser sa fréquence cardiaque à 60 %, voire 70 % de son maximum.

Il permet au coureur d'améliorer son endurance cardiovasculaire (le cœur), respiratoire (le souffle) et musculaire (hé oui, les muscles). Il peut ainsi préserver, dans une certaine mesure, son énergie avant de passer à un rythme plus rapide. Le rythme R1 vous permettra de progresser longtemps et, en prime, de courir avec plaisir.

### COURIR « AU *FEELING* », ÇA VEUT DIRE COURIR TROP VITE !

Au fil des années, j'ai remarqué que 80 % des coureurs qui n'ont pas de programme d'entraînement précis vont instinctivement courir « au *feeling* », à la sensation si vous voulez, ce qui donne la plupart du temps un rythme R2, c'est-à-dire un rythme marathon. Résultat, ils parcourent 30 secondes trop rapidement chaque kilomètre cumulé pendant leurs sorties.

En courant surtout en R2, ces coureurs vont se rendre compte qu'avec le temps, il leur sera de plus en plus difficile d'atteindre leurs objectifs de compétition. Cela découlera entre autres du fait qu'ils n'auront pas géré de façon optimale leur énergie avant d'adopter un rythme plus rapide.

### MÊME LES COUREURS ÉLITES PRÉFÈRENT COURIR LENTEMENT EN ENDURANCE FONDAMENTALE R1 !

Quand il a assimilé ces notions, le coureur plus expérimenté n'a pas l'impression de se retenir en modérant son rythme. Même chez l'élite, j'ai constaté que certains se contentent volontiers de courir jusqu'à 15 secondes plus lentement que le temps demandé en R1 pour s'assurer une récupération maximale avant de s'attaquer à des intervalles.

J'ai fait le même constat avec mes deux athlètes élites qui ont représenté le Canada au Championnat du monde d'athlétisme : Isabelle Ledroit au marathon d'Edmonton en 2001 et Karine Belleau-Béliveau au 800 m à Moscou en 2013. Toutes les deux s'entraînaient à un rythme plus lent que le rythme proposé en R1.

### COMMENT DÉTERMINER LE RYTHME D'ENDURANCE FONDAMENTALE R1 ?

Les trois premiers mois, si vous débutez en course à pied, il vous sera assez difficile d'établir en fonction de vous-même ce fameux rythme R1, puisque votre niveau de forme ne cessera de progresser. C'est un peu comme viser une cible qui ne cesse de bouger.

Après quelques semaines d'entraînement, vous atteindrez un certain plateau, ou ce que vous ressentirez comme un rythme de croisière. Dès ce moment, il sera important de vous entraîner juste au seuil de l'essoufflement, c'est-à-dire en étant en mesure de parler sans difficulté tout au long de votre séance. Vous vous approcherez du rythme de l'endurance fondamentale.

Dans les semaines suivantes, vous terminerez un premier test en compétition sur une distance de 5 km. Ce premier chrono officiel au 5 km sera votre référence, celle qui déterminera votre rythme R4 à l'entraînement.

En consultant les grilles d'entraînement de *Courir au bon rythme,* et à partir de ce rythme R4, vous serez en mesure de connaître les autres rythmes au kilomètre R1, R2 et R3 qui conviennent à votre niveau de forme. En les dosant ainsi, vous éviterez d'en faire trop, vous vous entraînerez de façon réaliste et augmenterez vos chances d'atteindre vos objectifs.

# LA COURSE À PIED FAIT-ELLE PERDRE DU POIDS ?

2:06

Parmi les nombreux bienfaits que procure la pratique de la course à pied, le maintien du poids ou la perte de poids représente sans aucun doute un facteur de motivation important, notamment pour les débutants. Mais nous ne sommes pas tous égaux sur ce plan. Plusieurs facteurs entrent en jeu : hérédité, morphologie, physiologie, hormones, émotions... Voici quelques propos recueillis auprès de la nutritionniste Josée Cloutier.

## QUEL EST LE POIDS IDÉAL POUR COURIR ?

Pour la population en général, les instances de santé recommandent de maintenir son indice de masse corporelle (IMC), ou «poids santé», dans une fourchette se situant entre 18,5 et 24,9. L'IMC se calcule de la façon suivante : poids (kg)/taille (m)$^2$. Un IMC supérieur à 25 indique qu'une personne est en surcharge pondérale et, au-delà de 30, il y a obésité. Pour les coureurs qui font de la compétition, l'IMC n'est pas toujours un indicateur optimal, car ceux-ci se situent généralement dans la fourchette basse.

## LE POIDS EST-IL DIRECTEMENT LIÉ À LA PERFORMANCE ?

Dans les sports d'endurance comme le marathon, le *trail*, le triathlon ou le ski de fond, il est généralement conseillé d'éviter un surplus de poids. Il est plus facile de courir quand on est léger, donc sans avoir à porter une masse excédentaire. Remarquez que si vous courez pour le plaisir, le poids sur le pèse-personne est moins important.

Il est normal d'avoir un poids plus léger en été et supérieur en hiver, ce dernier étant entre autres attribuable à la période de repos que constitue cette saison et aux besoins accrus que provoquent les climats froids.

Maintenir un poids santé optimal présente de nombreux autres avantages : moins de fatigue, moins de risques de blessure, meilleure récupération et sensation de bien-être dans son corps.

## COMMENT MAINTENIR UN POIDS SANTÉ ?

Chaque jour, il est important de consommer des aliments de haute qualité nutritionnelle. Privilégier les repas cuisinés à la maison, sans excès de graisses, et éviter de sauter des repas sont des moyens pour y arriver. Choisissez des aliments parmi les différents groupes en variant les apports :

• légumes et fruits ;

• produits céréaliers (pain, pâtes, céréales, etc.) ;

- lait et substituts (yogourt, fromage et soya) ;
- viandes et substituts (poisson, crustacés, œufs et légumineuses) ;
- eau.

Évitez de suivre des régimes farfelus, car les modifications brusques des apports alimentaires peuvent entraîner des réactions métaboliques néfastes pour le corps et nuire aux performances sportives à long terme.

## LES LONGUES SORTIES DU WEEK-END FONT-ELLES PERDRE DU POIDS ?

Pour perdre du poids, il est nécessaire de modifier ses apports alimentaires en fonction de ses dépenses énergétiques : consommer moins d'énergie (alimentation plus pauvre en lipides et riche en glucides complexes) et dépenser plus !

Il est toujours plus facile de stocker l'énergie que de la dépenser, d'où l'importance de bien équilibrer ses apports au quotidien ou au cours de la semaine, pour éviter la déception lorsque l'on monte sur le pèse-personne.

Faire une longue sortie peut présenter un intérêt dans l'optique d'une perte de poids. Cette pratique permet d'augmenter l'utilisation des graisses par les muscles du fait de la baisse des réserves énergétiques en glycogène (énergie habituelle des muscles) après un long effort au-delà de 90 minutes.

## COURIR AVANT LE PETIT DÉJEUNER EST-IL UNE BONNE CHOSE ?

De plus en plus de coureurs partent faire leur entraînement du matin à jeun en ayant la préoccupation de mobiliser davantage les graisses. Cela est peut-être avantageux, mais nécessite toutefois de bien connaître son corps afin d'éviter l'hypoglycémie au cours de l'effort.

Perdre du poids de façon durable, c'est possible, à condition d'adopter une approche progressive, avec une perte maximale ne dépassant pas 1 à 2 kilos (2 à 5 livres) par mois, pour permettre la réduction de la masse grasse (graisses du corps) tout en préservant sa masse maigre (les muscles). Pour perdre 1 kg de tissu adipeux, il faut couper un total de 7 000 kilocalories.

Soyez patients, ne vous découragez pas si vous atteignez un plateau, c'est normal! Les apports moyens quotidiens conseillés pour les adultes sont de 2 000 kilocalories chez les femmes et de 2 600 chez les hommes. Ces apports varient d'un individu à l'autre et augmentent chez les gens actifs.

## 2:07 EST-IL ESSENTIEL DE PARTICIPER À DES COMPÉTITIONS?

**La grande majorité des gens qui pratiquent la course à pied au Québec ne participent jamais à des courses chronométrées. Plusieurs courent sans objectif précis, le font pour maintenir un certain niveau de forme ou encore pour se préparer à une nouvelle saison de leur activité sportive préférée.**

Et pourquoi pas? Ne courir que l'été ou durant certains temps libres, à l'occasion, est tout à fait valable et je n'hésite pas à le recommander à quiconque désire relever un peu son niveau d'activité. L'objectif premier, après tout, c'est de bouger! Mais si l'on désire aller plus loin dans son régime d'activité physique, fournir l'effort nécessaire à l'obtention de résultats tangibles et mesurables, puis pousser jusqu'à se transformer, est-il essentiel de compétitionner?

Essentiel, non, mais stimulant, absolument! Avoir un objectif précis à moyen ou à long terme est une excellente façon de se motiver. Faire preuve de détermination sur une longue période est formateur et gratifiant en soi.

À cause d'un pari, d'un simple défi entre amis, voilà comment des coureurs que j'ai côtoyés ont commencé leur carrière. Forcer un peu, ça peut aussi être amusant! Surtout si on en rit par la suite ou qu'on fait de sa première épreuve un moment mémorable, un souvenir partagé et rassembleur. Avec un minimum de préparation et de discipline, mieux, avec un programme d'entraînement adapté à sa condition de départ et qui nous permet de progresser jusqu'au jour J, le degré de plaisir qu'on tire de son expérience est d'autant plus rehaussé.

## IL Y A DES COURSES ORGANISÉES POUR TOUS LES GOÛTS

Il existe plus de 500 courses en tous genres au Québec. Il y en a vraiment pour tous les goûts! Dans plusieurs cas, en raison des particularités du parcours ou des conditions de course (hivernales par exemple) le chrono n'a aucune importance, sinon que de vous informer de la durée totale de votre effort. La grande majorité des courses chronométrées se déroulent sur la route ou dans les parcs sur des distances de 5 km, 10 km, 21,1 km ou 42,2 km. Les courses en circuit fermé en sentier forestier ou en montagne gagnent aussi en popularité.

Les courses à relais deviennent elles aussi de plus en plus populaires, la formule en équipe convenant bien aux écoles et aux entreprises participantes. Les distances à parcourir sont adaptables à la clientèle, ce qui permet d'assurer des succès collectifs au bilan de la journée.

Chez nos jeunes des écoles primaires et secondaires, les épreuves d'automne en cross-country demeurent une excellente façon de s'initier à la course à pied. C'est d'ailleurs à la suite d'une expérience scolaire en cross que bon nombre de jeunes recrues des clubs de course et d'athlétisme poursuivent dans cette voie.

Aux coureurs très endurants, ceux qui aiment courir de très longues distances et dont la soif de défi n'a pas de limites, les ultra-marathons offrent des parcours de 50 km à 100 km ou encore des courses de 24 heures. On s'en doute bien, pour ce type de course la préparation est longue, et surtout obligatoire.

On s'en surprendra peut-être, mais des courses sur piste, du 800 m au 10 000 m, sont elles aussi accessibles à tous les groupes d'âge dans le cadre de certains événements organisés aussi bien en salle qu'à l'extérieur. Cela demande une préparation un peu plus élaborée et des séances d'entraînement par intervalles bien dosées, selon l'épreuve à laquelle on participe. L'aide d'un entraîneur qualifié est alors un atout.

### S'AMUSER AVANT TOUT !

Viennent enfin les courses pour s'amuser. Soyons francs : je n'ai jamais couru dans la boue avec des obstacles, participé à un *color run*, couru en sentier à la noirceur avec une lampe frontale, monté toutes les marches d'un escalier d'un immeuble de bureaux, couru en tablier avec verres et bouteille sur un plateau ou un 100 m en talons hauts. Je n'ai jamais non plus fait de canicross avec mon chien en laisse, couru avec une boussole (où peut-il bien se cacher ce fil d'arrivée !), ni fait de *fun run* sans chrono, ni officialisé une course de princesses, ni remporté une course de pères Noël. Mais j'approuve ! Tout comme j'encourage les organisateurs de courses faisant la promotion de produits locaux, sirop d'érable, canard du lac Brome, gibelotte de Sorel, microbrasseries, route des vins et j'en passe. Notre sport a tout à gagner à ce qu'il y ait un peu d'animation et à ce qu'on fasse la fête à l'occasion.

Dans le monde des courses inusitées, il y en a sans doute une pour vous, vos proches et vos amis. Une fois inscrit, laissez-vous aller. L'important, c'est de participer !

## -2:08- QUELS SONT LES BIENFAITS DE LA COURSE À PIED POUR FAIRE FACE AU STRESS DU QUOTIDIEN ?

Que ce soit en raison d'une vie familiale chargée, d'un emploi exigeant ou tout simplement d'une vie active, nous sommes pour la plupart soumis à la pression du quotidien et à l'obligation de maintenir la cadence jour après jour. Être « dans le jus », c'est du connu ! Comment trouver un équilibre dans tout ça ?

Trouver le moyen de décrocher du quotidien, varier ses champs d'intérêt pour se changer les idées, prendre un peu de temps pour soi, les antidotes au stress sont connus. Avoir une passion, alors là, c'est la recette parfaite pour appliquer tous ces trucs à la fois. Devinez quelle est ma passion, à moi...

J'en ai discuté avec quelques-uns de mes coureurs, dont plusieurs ont une vie très active et un emploi comportant un niveau de stress important. Leurs propos concordent : courir après une journée de travail, c'est bénéfique et on le ressent.

## À CHACUN SON POINT DE VUE

Productivité accrue au travail, sommeil de meilleure qualité, stress de tous les jours mieux contrôlé, les témoignages que je recueille vont tous dans le même sens. S'agit-il de lieux communs ? Peut-être. Mes athlètes ont-ils mesuré leur productivité, par exemple avant et après, pour pouvoir affirmer qu'elle s'améliore ? Sûrement pas... Ils n'ont pas le temps ! Mais laissons ça aux scientifiques et admettons pour l'instant que l'opinion générale est « pour ».

Mais encore ? À celui qui affirme courir pour mettre de l'ordre dans ses idées et résoudre plus facilement ses problèmes, je serais tenté de lui en confier d'autres. Mes impôts, par exemple. Tout de même, intuitivement, son témoignage se défend. Quand il s'agit de réfléchir ou de faire le point, la détente qui suit l'effort physique ne devrait-elle pas nous mettre dans de bonnes dispositions ?

Et puis, cet autre coureur qui me dit que le stress qu'il vit en compétition lui permet de relativiser ses problèmes quotidiens. À bien y penser, c'est peut-être le contraire : le stress de la compétition, n'est-ce pas peu de chose comparé aux problèmes de la vie ? Bon, on plaisante, mais après tout, pourquoi ne puiserait-on pas aussi dans ses expériences sportives pour mieux composer avec la vie de tous les jours ?

C'est un peu ce que je vis, d'ailleurs, comme entraîneur lorsque je dois faire une présentation devant public. Mon expérience acquise dans le passé comme athlète d'élite me permet de mieux gérer mon stress les heures précédant l'événement. J'applique la même routine que celle d'un athlète qui se prépare à une compétition importante.

## METTRE LA *SWITCH* À *OFF*

Toutefois, être capable d'apprécier un 10 km de course en solitaire, sous une pluie froide de novembre, à la tombée du jour, et y trouver un moment de détente, ce n'est pas donné à tout le monde. Y a-t-il une meilleure recette, un truc garanti qui permet de décrocher ?

À mon avis, et selon plusieurs de mes coureurs, s'il y a un bon truc pour vraiment se changer les idées par la course, c'est bien de profiter de l'effet de groupe.

Personnellement, comme entraîneur, j'ai toujours opté pour une seule séance d'entraînement de groupe par semaine. C'est moins contraignant pour l'horaire de chacun et ça permet aussi de regrouper le plus grand nombre possible de coureurs au même moment.

Et l'effet recherché est là. Dans une ambiance tout à fait conviviale, sous la supervision d'une équipe d'entraîneurs dynamiques, ces rassemblements peuvent être très courus au sein d'un club. C'est la soirée des intervalles !

Chacun se retrouve donc dans un peloton de son niveau et, pendant près d'une heure trente, pas le choix de se concentrer : on enchaîne à des rythmes précis les séries proposées, entrecoupées de tours de récupération pendant lesquels la bonne humeur est contagieuse.

Décrochage garanti. Tracas de bureau sont mis de côté et téléphones intelligents vont réfléchir dans leur coin ! Mais il n'est pas nécessaire de faire partie d'un club ou de faire des intervalles pour appliquer le principe. Allez tout simplement courir avec d'autres et faites-en une habitude. Votre détente n'en sera que meilleure.

# LES ÉTUDES SCIENTIFIQUES, COMMENT S'Y RETROUVER ?

**J'exagère à peine en affirmant que, quotidiennement, on nous annonce une nouvelle étude scientifique qui vient alimenter un débat sur la place publique. En course à pied, c'est le même phénomène. Que croire, et qui croire ? Il faut rester vigilant, surtout si on est tenté d'ajuster son entraînement à la suite de la dernière révélation des médias !**

La grande majorité des études scientifiques sont unanimes sur les bienfaits de la course à pied pour la santé et la qualité de vie. Mais il arrive que certaines se contredisent sur un aspect un peu plus pointu. Il devient alors difficile de se faire une opinion éclairée sur certains sujets touchant notre sport. Alors, ces trois expressos avant l'entraînement, je coupe ? D'accord, pourvu qu'on me laisse mon régime paléo !

Je blague, mais certaines informations peuvent parfois nous placer devant de beaux dilemmes. Le plus bel exemple qui me vient à l'esprit est celui du débat sur l'effet, l'utilité ou l'inutilité, à long terme, de l'intensité et du volume en course à pied.

En 2014 nous est arrivée cette étude de l'Université de l'Iowa, publiée par le *Journal of the American College of Cardiology,* montrant que courir de 5 à 10 minutes par jour, tous les jours, est aussi efficace que d'y consacrer 180 minutes par semaine quand il est question de prolonger l'espérance de vie. Intéressant. Cela illustre l'importance de se fixer des objectifs clairs : performance ou longévité ?

Mais voici, un an plus tard, que la même publication nous rapporte les conclusions d'une autre étude, danoise celle-là, montrant que les coureurs rapides auraient un taux de mortalité aussi élevé que les personnes sédentaires ne pratiquant aucun sport. Il serait donc indiqué de ne courir qu'une ou deux heures par semaine au maximum, et à un rythme lent ou modéré par surcroît !

Mais devant cette étude qui n'échantillonne que 50 coureurs rapides, qui se base sur des questionnaires subjectifs et qui s'échelonne sur 12 années, période très longue durant laquelle ces coureurs rapides ont peut-être changé leur entraînement, j'hésite.

Pour savoir un peu plus où donner de la tête, j'ai donc consulté une coureuse, la docteure Julie Loslier.

## COMMENT INTERPRÉTER CES ÉTUDES SCIENTIFIQUES?

L'interprétation des études scientifiques n'est pas une chose facile à faire. L'étude est-elle bien conçue? Est-elle susceptible de contenir des erreurs? Comment les résultats doivent-ils être interprétés? À qui peut-on les appliquer?

Il ne s'agit pas là simplement de lire la conclusion d'une étude et de l'accepter les yeux fermés, mais bien de poser un regard critique sur l'ensemble des études. Disons-le, elles peuvent être de qualité très variable. Donc, c'est le cumul des études qui montrent des résultats qui convergent, ou qui ont tendance à concorder, qui permet de mieux comprendre un phénomène.

## LES ÉTUDES SONT-ELLES LA SEULE VÉRITÉ?

L'ensemble des connaissances dans un domaine particulier provient toujours de plusieurs sources. Les études scientifiques comptent parmi les plus importantes de ces sources, car elles sont menées selon une approche rigoureuse qui maximise les chances que les conclusions soient valides.

Néanmoins, le vécu, le «savoir expérientiel» comme on le désigne, qu'il vienne des entraîneurs ou des coureurs, est aussi une source précieuse d'information, de plus en plus accessible d'ailleurs avec l'utilisation d'Internet. Il est toutefois souvent difficile de se faire une tête lorsqu'on y retrouve des avis différents ou que des anecdotes viennent brouiller les cartes.

De là l'avantage de s'appuyer sur des études qui portent sur un grand nombre de personnes et qui, lorsqu'elles sont bien faites, permettent de poser un regard objectif sur une question donnée. En somme, il s'agit de combiner toutes ces connaissances.

## COMMENT RECONNAÎTRE UNE ÉTUDE SCIENTIFIQUE SÉRIEUSE ?

Pas facile ! Idéalement, il faut des compétences en recherche pour pouvoir poser un regard critique sur une étude.

Néanmoins, en choisissant des sources de données crédibles, on maximise ses chances d'accéder à de bonnes études. Par exemple, on voudra sélectionner des études publiées dans des revues scientifiques renommées, préférer les études sans biais commercial ou s'attarder aux études que publient certains moteurs de recherche, tels que PubMed, ou organisations scientifiques reconnues.

Aussi, certains types d'études nommées « méta-analyse », qui combinent les résultats de plusieurs études, augmentent les chances que les résultats soient valides.

## PEUT-ON ALLER À L'ENCONTRE D'UNE ÉTUDE SCIENTIFIQUE ?

On ne le répétera jamais assez, toute étude ne doit pas être considérée comme la seule vérité. Lorsqu'elles sont bien faites, les études nous permettent de dire que, dans certaines circonstances, telle ou telle approche est préférable pour la majorité.

Cela ne veut pas dire que, pour un individu en particulier, en l'occurrence vous, ce résultat s'applique à la lettre. Le jugement d'un professionnel qualifié, que ce soit votre médecin, votre physiothérapeute, votre entraîneur ou autre, demeure essentiel.

# LE WEB ET LA COURSE À PIED, COMMENT Y VOIR CLAIR ?

**Comme pour tout autre domaine, le web met à la portée immédiate du néophyte une quantité pratiquement illimitée d'informations sur la course à pied, et de tout ordre : général, plus spécialisé ou encore de nature carrément scientifique. Il en est de même de toute une panoplie de services et de produits offerts. La qualité de cette information ou de ces services est toutefois variable et les coureurs ont intérêt à consulter plusieurs sources avant de se faire une opinion ou de procéder à un achat.**

Depuis une vingtaine d'années, Internet a bouleversé le monde de la course à pied : inscription en ligne aux compétitions, achats électroniques, pages Facebook de tous genres, abondance de publications, etc. On nous propose même des outils de diagnostic de blessure, voire des façons de les traiter. Malgré les précautions qui s'imposent parfois, les avantages du web sont si nombreux qu'il est devenu un outil indispensable à tous les coureurs.

## UNE COMMUNAUTÉ EN LIGNE

Je n'ai pas à vous convaincre, bien sûr, de tout le potentiel que recèle le web pour le développement de la course à pied. Ne serait-ce que pour faire la promotion de l'activité, les réseaux sociaux, les sites web d'événements organisés et les sites proposant des calendriers de compétition n'ont pas leur pareil pour diffuser l'information, favoriser les regroupements et même faire profiter les coureurs d'avantages ou de tarifs réduits.

Mais ai-je vraiment besoin de le souligner, attention au côté parfois mercantile du web. Sachez faire preuve de discernement. Gardez-vous d'acheter en ligne un programme d'entraînement pas du tout adapté à votre réalité. Évitez les faux pas, comme vous inscrire à une course trop rapidement, sans tenir compte de votre planification annuelle, de votre niveau de forme ou de l'avis de votre coach.

## TOUTE L'INFORMATION, LA BONNE ET LA MOINS BONNE

Aujourd'hui, journalistes, spécialistes, sommités mondiales et centres nationaux d'entraînement rivalisent pour être les premiers à publier sur leur site les dernières nouvelles, les plus récents résultats de recherche, les nouvelles méthodes d'entraînement et j'en passe. C'est fascinant, à la fin, d'avoir aussi facilement accès à des ressources quasi inaccessibles voilà quelques années à peine.

En revanche, les articles non fondés, les opinions purement personnelles, les critiques tendancieuses et d'autres distorsions de l'information foisonnent dans le domaine de la course comme partout ailleurs. Posez-vous des questions, vérifiez surtout si les sources d'une information sont mentionnées, puis lisez encore et comparez.

## LES SPÉCIALISTES VIRTUELS

Certains coureurs vont même se servir du web, en particulier des forums et des réseaux sociaux, pour obtenir des conseils en ligne pour une blessure. Par exemple, un coureur a mal au pied droit. Quoi de plus facile que d'expliquer son problème sur une page Facebook regroupant des coureurs et de demander conseil. C'est une fasciite, de l'avis de l'un... Non, plutôt une épine de Lenoir selon un autre... Cette pratique est courante et très dangereuse, car n'importe qui peut répondre n'importe quoi. Hé! on est toujours dans le monde virtuel. La blessure, elle, est bien réelle.

Pour toute question importante, blessure, services de *coaching*, évaluation de votre forme physique ou achat d'équipement, consultez plutôt un professionnel ou un expert, selon le cas. Rien de tel que le web pour tâter le terrain, s'orienter ou aller chercher un complément d'information, mais pour traiter, approfondir ou procéder à un achat de biens ou de services, rien de tel qu'un spécialiste.

Ah oui! Sur le web, il y a beaucoup de spécialistes... Vous pouvez d'ailleurs vous-même en devenir un vite fait : petite formation de quelques heures, certificat d'un week-end... et hop! le tour est joué. Méfiez-vous donc.

## PRODUITS MIRACLES ET MARKETING

Au Québec, plus d'un million de personnes pratiquent la course à pied. Et ce n'est que le Québec! Dans un tel marché, qui s'étonnera de l'arrivée de nouveaux produits de toutes sortes, qu'il s'agisse de gels ou de bas de contention, de chaussures révolutionnaires ou de programmes d'entraînement miracle? Quand même, quel merveilleux outil que le web. Des produits disponibles en un seul clic. Votre niveau de performance, lui, a augmenté de 5 à 7 %, en un seul clic aussi, ou presque! Vive le marketing!

Mon intention ici n'est pas de dénigrer certains produits parce qu'ils sont distribués sur le web ou font l'objet d'une certaine mode. Si un produit vous stimule sur le plan psychologique, pourquoi pas? Ces bas de contention vous procurent un certain confort? Un bon *feeling*? Oui? Alors pourquoi pas!

Mais il n'y a rien de miraculeux, rien d'instantané en course à pied. Toute amélioration de la performance passe par la rigueur, par le temps consacré à l'entraînement, par l'énergie dépensée et par la patience. Le produit miracle n'existe pas.

## UN EXEMPLE DE BONNE INFORMATION

Que de mises en garde, n'est-ce pas! S'il y a toutefois un type de site web qui m'inspire généralement confiance, c'est celui qui fait la promotion d'un événement organisé. À plus forte raison si c'est une course populaire officiellement inscrite au calendrier d'un circuit connu et qui se tient sur un parcours homologué.

Pour en avoir moi-même organisé plusieurs, si j'ai un conseil web à donner à un promoteur, c'est de se démarquer en tant qu'événement en mettant en valeur les points forts de son organisation. C'est l'un ou l'autre de ces aspects de l'offre qui allumera les coureurs qui visiteront son site: l'homologation d'un parcours, ou simplement sa beauté, une impeccable logistique, les services, le ravitaillement, les médailles ou encore les cadeaux qui seront distribués. Si c'est le cas, il ne faut pas oublier non plus de mettre en valeur l'aspect familial de l'événement.

Voilà une belle façon de contribuer à la qualité de l'information diffusée sur le web.

# 3:00

## MOTIVATION ET DÉPASSEMENT

# C'EST L'HEURE D'ALLER COURIR, MAIS J'HÉSITE, COMMENT ME MOTIVER ?

**Nous vivons pour la plupart une vie trépidante. Le maître mot, de nos jours, est devenu : activité. Famille, enfants, boulot, maintien et amélioration de la qualité de vie forment un tourbillon au quotidien. Bref, l'entraînement physique devient un élément de plus qui s'ajoute à cette somme de choses à faire, et il est trop souvent tentant de le négliger. Voici quelques suggestions pour maintenir sa motivation à aller courir.**

La course à pied a beau être un loisir et une activité personnelle, au même titre que la lecture, écouter de la musique ou regarder un bon film, intégrer cette activité souvent solitaire à sa pratique quotidienne demande de la motivation et de l'énergie.

De plus, ce sport pose ses exigences : une pratique qui se veut le moindrement sérieuse, à plus forte raison si l'on veut progresser, nécessite un minimum de trois séances par semaine. Sinon, la forme musculaire est le premier acquis qu'on perd.

Garder sa motivation est donc un élément important pour maintenir une certaine régularité à l'entraînement. Il n'est pas rare, en course à pied, de vivre une période de démotivation. C'est normal dans la vie d'un coureur, surtout à certains moments, comme lors des grands froids ou durant la basse saison en général. Voici quelques trucs pour vous aider à rester motivé.

## ÉCRIRE CE QUE VOUS AVEZ FAIT

Pour renforcer un certain sentiment d'accomplissement, ins-crivez dans un carnet ou sur un calendrier toutes les séances d'entraînement faites durant la semaine. Respectez par la même occasion la fréquence hebdomadaire minimale de trois séances par semaine et veillez à ne jamais être plus de deux jours sans courir. Notez quelques données : la durée de votre séance d'en-traînement, votre niveau de fatigue, le degré de difficulté de votre parcours et la météo du jour, par exemple.

Par la suite, et avec le recul, il vous sera plus facile d'analyser et de comprendre comment vous allez, ce qui fonctionne ou pas et les ajustements nécessaires dans les circonstances.

## PLANIFIER VOS SORTIES

Planifiez les meilleurs moments durant la semaine et le week-end pour aller courir. Êtes-vous plus en forme le matin, le midi ou le soir ? À quel moment de la journée avez-vous un peu plus de temps libre ? Cela peut paraître évident, mais ça se planifie. J'en rajoute : selon votre horaire, quelles sont les meilleures journées durant la semaine pour aller courir ? Vos journées de congé sont-elles en semaine ou la fin de semaine ?

La planification et la bonne coordination de votre horaire de tous les jours et d'un programme d'entraînement adapté à votre réalité sont toujours une recette gagnante pour rester motivé.

## VARIER VOS PARCOURS D'ENTRAÎNEMENT

Des parcours d'entraînement variés et agréables sont une excellente source de motivation pour réussir à sortir de la mai-son. Créer vos propres parcours selon les saisons en longeant des parcs ou des cours d'eau, courir en sentier, sur de petites rues non achalandées (toujours face aux voitures !), sur des parcours aller-retour ou encore sur de petites boucles sécuritaires de 2 à 5 km selon votre niveau de forme et en fonction de la saison ou de la météo sont autant d'options qui briseront la monotonie à coup sûr.

La longue sortie du dimanche, en particulier, se prête bien à l'exploration de nouveaux parcours sur de plus longues distances dans un quartier, une localité ou un parc régional qui ne vous est pas familier. Partez à l'aventure, mais et ne vous égarez pas !

### S'ENTRAÎNER EN GROUPE

Courir avec des amis ou avec un groupe de coureurs est une excellente source de motivation. Ces moments privilégiés doivent être planifiés, à moins de s'intégrer à un groupe déjà structuré. Courir en groupe peut avoir certains inconvénients, comme devoir courir plus vite que le rythme suggéré à l'entraînement. Assurez-vous de vous joindre au bon groupe et aux coureurs de votre niveau pour éviter les effets du surentraînement.

Peu importe votre niveau, pour demeurer motivé, vous devez rester en tout temps sur votre appétit. Ne mettez pas inutilement la barre trop haut et apprenez à vivre avec cette impression que vous auriez pu en faire un peu plus. Le facteur de succès que vous devez maîtriser, c'est toujours la régularité à l'entraînement.

## 3:02 QUELS SONT LES AVANTAGES DE COURIR EN GROUPE ?

La plupart des coureurs s'entraînent surtout en solitaire, ne consacrant qu'environ 10 % de leur temps aux sorties en groupe. Lorsque l'occasion de courir avec d'autres se présente, il faut la saisir, puisque c'est une excellente façon de maintenir son niveau de motivation. Courir en groupe comporte aussi d'autres avantages, mais il y a un piège à surveiller.

La course à pied, un sport individuel, a ses plaisirs et ses exigences. Un entraînement en solitaire, une longue sortie, une courte sortie de remise en forme, toutes ces activités peuvent devenir des moments privilégiés qu'on s'offre à soi-même au milieu des préoccupations du quotidien.

Par ailleurs, un programme d'entraînement comporte des rythmes propres au coureur qui lui demanderont une certaine concentration. Courir seul peut favoriser cette concentration.

Mais courir toujours en solo peut devenir pénible avec le temps. Il n'est pas nécessairement facile de maintenir sa motivation de jour en jour. Quand y'a pas le moral...

## COURIR AVEC UN CHAMPION

Même les plus grands doivent briser l'isolement. Par exemple, Jérôme Drayton, toujours détenteur du record canadien du marathon avec un temps de 2 h 10 min 8 s réalisé en 1975. Durant les longues sorties organisées par son club de Toronto, Drayton a toujours participé, comme tous les autres membres de son club, aux 15 premières minutes de l'entraînement au rythme du plus lent coureur du groupe. Rien de tel pour créer une ambiance de groupe, avec en prime, pour les membres du club, l'honneur de s'entraîner quelques minutes avec Jérôme Drayton.

Vous joindre à un groupe de coureurs de votre niveau est sans doute un des meilleurs choix que vous puissiez faire. Faites connaissance de gens qui partagent votre passion et vos objectifs. L'entraide, le partage de connaissances et la découverte de nouveaux parcours feront désormais partie de votre vie sportive. Les entraînements deviendront plus faciles à terminer, l'effet de groupe se faisant sentir, surtout s'il s'agit de séances par intervalles sur piste. La motivation collective vous permettra aussi d'affronter plus facilement les conditions météo quand elles se compliqueront. Subir un léger vent de face pendant plusieurs kilomètres et sous une pluie froide, ça peut devenir très agaçant à la longue. Courir en groupe est plus encourageant! Et parfois même plus sécuritaire.

## LES INCONVÉNIENTS

Les inconvénients de courir en groupe sont heureusement moins nombreux. Il arrive que l'effet de groupe devienne un facteur négatif au sein d'un noyau de coureurs très compétitifs. L'erreur qui se produit alors habituellement est d'établir un rythme trop rapide à l'entraînement. Pour le coureur moins rapide, cela peut devenir contre-productif et démotivant avec le temps.

S'il y a un entraîneur sur place, son rôle sera d'assurer le bon déroulement de la séance d'entraînement pour éviter le débordement devant l'enthousiasme des participants et pour maintenir l'harmonie au sein du groupe.

Choisissez donc un groupe stimulant et discipliné. Il vous donnera la petite poussée supplémentaire que vous recherchez, toujours dans le respect des paramètres de votre programme d'entraînement.

## 3:03 COMMENT MAINTIENT-ON LONGTEMPS SA PASSION POUR LA COURSE À PIED ?

**Peu importe la durée de votre carrière sportive ou votre niveau en course à pied, vous allez tôt ou tard vivre des moments privilégiés qui resteront gravés dans votre mémoire à tout jamais. Sachez que votre sport peut vous mener à des expériences de vie uniques. Voici ma petite histoire.**

### MON PREMIER VOYAGE OUTRE-MER

Je n'avais que 19 ans le jour où un club d'athlétisme de l'époque, les Antilopes, avait décidé d'organiser un voyage en Allemagne pour une trentaine d'athlètes de l'est de Montréal, dont moi. Mon premier voyage en avion ! Bien sûr, cela ajoutait à l'excitation que je ressentais à l'idée de partir.

Mais ma fébrilité tenait aussi au fait que nous allions très vite passer aux choses sérieuses : une série de compétitions organisée de concert avec un club d'athlétisme local de la région de Bonn, le TV Reinbach. Ça y était! Nous allions vivre notre première compétition à l'étranger.

Nous venions tout juste de vivre cet été-là la magie des Jeux olympiques de Montréal de 1976. Et voilà que le rêve se poursuivait. Nul doute, ce premier voyage outre-mer fut un moment marquant de ma jeune carrière d'athlète. Plus encore, un élément déclencheur et le début de mon ouverture sur le monde. Depuis ce temps, grâce à la course à pied et à l'athlétisme, j'ai eu la chance de découvrir plusieurs autres pays et d'y développer de belles amitiés.

Les voyages ont beau former la jeunesse, dans le monde du sport, cela peut s'appliquer parfaitement à tous les groupes d'âge. À preuve, ces groupes de coureurs qui s'organisent pour participer ensemble à des marathons partout sur la planète, que ce soit à Londres, Paris ou Beijing.

## MES PREMIERS PAS À L'ENTRAÎNEMENT

Mais pas besoin d'aller si loin pour vivre des moments marquants en course à pied. Il suffit de savoir apprécier le quotidien. Qui ne se souvient pas de ses premiers pas en course à pied, de ses premières foulées, des premières 10, 20, 30 minutes accomplies sans interruption ? Par la suite les premières longues sorties en continu d'une heure et demie, deux heures, deux heures et demie qui donnent avec raison une fierté durable à celui ou celle qui les a accomplies ?

Et que dire des premiers entraînements hivernaux ? On voudra peut-être oublier la première chute sur un trottoir glacé, mais lorsqu'on a su prendre les précautions qui s'imposent, courir en pleine tempête de neige, dans la poudrerie, cela n'est pas sans charme.

Normalement, plus de 90 % du temps consacré à la course l'est dans un contexte d'entraînement. Le reste va à la compétition. Alors, pourquoi ne pas faire des entraînements des moments privilégiés eux aussi? Les entraînements de groupe, au sein d'un club par exemple, suscitent une motivation collective, une franche camaraderie et pour certains, l'occasion de vivre des expériences nouvelles : la course par intervalle en peloton, par exemple, ou encore l'apprentissage par émulation.

### DES MOMENTS MAGIQUES QUI RESTERONT MÉMORABLES

Pour peu qu'on persévère, le temps fera son œuvre d'une bonne manière ! Je rencontre régulièrement d'anciens collègues coureurs avec lesquels j'ai vécu mes compétitions, et voilà que surgissent invariablement les souvenirs du premier marathon, du meilleur chrono lors de telle ou telle compétition...

Avec le recul, on constate que ces performances qui s'accumulent au cours des années deviennent significatives et prennent aisément leur place au sommet du palmarès de nos réalisations personnelles. Peu importe le niveau, un sport peut influencer une vie !

## 3:04 — QUELLE EST L'IMPORTANCE DES MÉDAILLES DÉCERNÉES AUX COMPÉTITIONS ?

On dit parfois que trop, c'est comme pas assez. À force d'insister, on peut parfois banaliser l'exception. Est-ce le cas de toutes ces médailles de participation que l'on distribue désormais presque immanquablement au terme des courses populaires ? Elles sont de plus en plus belles et de plus en plus grosses, ces pièces de collection dont les rubans aux motifs personnalisés portent les couleurs des événements ! On peut même parler de compétition entre organisations... On est loin du traditionnel ruban bleu blanc rouge, très populaire il y a quelques années. Est-ce du gaspillage ?

Ma réponse est non ! Cette médaille de participation, considérez que c'est le fruit de votre effort. La valeur que vous y accordez reflète en fait l'importance que vous donnez à l'exploit que vous avez accompli sur le plan personnel. Pour certains, cela est énorme. Qu'on songe à tous ces gens qui dédient leur performance à un être cher ou qui ont dû puiser dans leur énergie et leur courage pour atteindre ce fameux fil d'arrivée. La médaille prend alors tout son sens.

Recevoir une médaille après avoir relevé un défi, c'est aussi, parfois, simplement une belle marque de reconnaissance à prendre avec le sourire. Dans la vie de tous les jours, les marques de reconnaissance n'abondent pas toujours. Alors, celle-là, acceptez-la! Après tout, vous vous êtes entraîné sur une base régulière malgré toutes sortes de contraintes et vous avez atteint votre objectif. Et vous vous en fixerez d'autres! La médaille, votre tremplin vers votre prochain exploit?

## LA PLUS BELLE MÉDAILLE

La médaille la plus prestigieuse dans le monde sportif d'aujourd'hui est sans contredit la médaille remportée aux Jeux olympiques. C'est la distinction ultime et sa rareté lui confère une valeur inestimable. Et pas seulement aux yeux de l'athlète! Voilà son seul défaut : la nécessité de la conserver dans un coffret de sûreté.

Dans mon palmarès, je dirais aussi que la médaille de participation la plus prestigieuse pour un coureur sur route est celle qui est remise à tous ceux qui terminent le marathon de Boston. Les standards de qualification à atteindre pour pouvoir s'y inscrire, ainsi que l'histoire derrière cet événement, ne sont pas étrangers à ce prestige.

## LA PREMIÈRE MÉDAILLE REÇUE...

Mais la plus belle médaille, c'est toujours la première qu'on a reçue. Et puis, il y a ce premier demi-marathon. Et ce premier marathon! Ou encore ce PB (*personal best*) qu'on travaillait à atteindre depuis deux ans. C'est sentimental, je sais! Mais le sport, n'est-ce pas aussi de l'émotion?

C'est de l'émotion, et un formidable réservoir d'estime de soi. Si vous avez déjà remporté une médaille pendant votre tendre enfance, lors des olympiades organisées à votre école par exemple, vous comprenez ce que je veux dire.

Pour les enfants et adolescents, remporter une médaille peut devenir un moment inoubliable. C'est un élément possiblement déclencheur et une excellente source de motivation pour la confiance en soi et l'établissement d'objectifs futurs.

Pour ma part, j'ai toujours conservé ma première médaille, reçue en 1973 lors de mon premier cross-country, à l'âge de 16 ans, à l'école Édouard-Montpetit. Heureusement, pas besoin de coffret de sûreté pour ça. Une vieille boîte de chaussures dans le fond d'un placard fait tout à fait l'affaire.

## 3:05 VAIS-JE PROGRESSER PLUS RAPIDEMENT AVEC UN ENTRAÎNEUR PERSONNEL?

*Coaching* en entreprise, *coaching* de vie, *coaching* sportif... Le *coaching* existe aujourd'hui dans tous les secteurs d'activité. Même certaines de nos grandes vedettes du monde artistique se font encadrer par un entraîneur personnel. Tendance émergente ou simple mode, le *coaching* personnel doit dans tous les cas répondre à une exigence de base: aider le client à atteindre ses objectifs.

Dans le domaine du sport, je distingue deux types de coachs personnels: le généraliste et le spécialiste. Majoritaires, les généralistes possèdent des compétences en conditionnement physique et en mise en forme répondant bien à un besoin répandu au sein de la population active. Les coachs spécialistes, de leur côté, sont habituellement des experts maîtrisant la technique et l'esprit d'un sport en particulier, que ce soit le golf, le tennis, la course à pied bien sûr, et j'en passe.

Le coach généraliste travaille auprès d'une clientèle variée, normalement dans un centre sportif, ou encore dans le cadre d'activités collectives, dans les municipalités par exemple, et parfois même à domicile. Son rôle est de vous aider à améliorer votre niveau de forme par un accompagnement continu, de répondre à vos interrogations et de vous motiver dans votre progression.

Le coach spécialiste est celui qui vous aidera à atteindre un niveau supérieur dans le sport que vous pratiquez déjà sur une base régulière. Ses connaissances et son expérience de sa discipline lui permettent de vous proposer certains ajustements à votre programme d'entraînement qui favoriseront votre progrès sur le plan de la performance.

## COMMENT CHOISIR LE BON COACH ?

Recourir aux services d'un coach personnel doit découler d'un ensemble de choix importants. D'abord et avant tout, il faut déterminer ses attentes et ses objectifs : est-ce se faire accompagner dans sa progression sur le plan de la forme physique ? Ou bien personnaliser un programme d'entraînement en fonction d'un objectif de compétition précis ? Obtenir une consultation privée pour régler une question quelconque ? Épater un peu la galerie ?

Ce point réglé, reste à trouver le bon coach. Sa réputation n'est pas à négliger. Avoir confiance en lui est primordial. S'il vous a été suggéré, voilà déjà un bon début !

Une mise en garde : je constate que, de nos jours, il y a de plus en plus de coachs qui deviennent rapidement des spécialistes de la course à pied. Certains s'improvisent coachs après avoir couru leur deuxième marathon. Assurez-vous donc de prendre connaissance de la feuille de route de celui qui vous propose ses services.

## J'AI FAIT MES DEVOIRS ET CHOISI MON COACH. MAINTENANT, COMMENT M'ASSURER DE RECEVOIR LE MEILLEUR SERVICE ?

À partir de là, tout dépend de l'équipe que vous formez, votre entraîneur et vous. Une des plus grandes qualités que puisse avoir un entraîneur, c'est de savoir communiquer et être en tout temps à l'écoute de son client. Il sera ainsi d'autant plus en mesure de trouver des pistes de développement ou des solutions rapides en cas de problème. En contrepartie, la réceptivité et l'éthique de travail de l'athlète sont des ingrédients essentiels de son succès.

L'avantage d'avoir un coach personnel, c'est la relation individuelle de confiance que vous développerez avec lui avec le temps. En vous connaissant un peu mieux, votre coach sera plus en mesure de vous aider à atteindre vos objectifs.

3:06

# QU'EST-CE QUE ÇA PREND POUR DÉVELOPPER LE PLEIN POTENTIEL D'UN ATHLÈTE EN COURSE À PIED ?

**Un athlète d'élite en course à pied, c'est quelqu'un qui est très doué à la base, mais aussi très persévérant. Il fait partie d'un groupe sélect dont les membres ont de 20 à 35 ans et se retrouvent dans le top 5 à 10 % du classement de leur discipline respective. À l'intérieur même de cette catégorie d'athlètes, il y a des calibres. On peut parler de niveaux provincial, national et international.**

Deux éléments sont essentiels à l'atteinte du haut niveau : votre potentiel génétique, ce bagage que vous avez reçu à la naissance, et votre détermination. À notre époque, il est presque impossible d'arriver au sommet grâce à un seul de ces deux éléments clés.

### L'ÂGE IDÉAL POUR COMMENCER

Ce que je suggère aux jeunes de moins de 14 ans qui aiment beaucoup la course à pied et qui aspirent un jour à faire partie de l'élite, c'est de pratiquer d'abord plusieurs sports. C'est ainsi qu'ils pourront se développer de façon équilibrée et acquérir une gamme d'habiletés. À cet âge, il faut surtout être patient et éviter une spécialisation trop rapide.

Dans certaines disciplines, il est plus difficile à un jeune de suivre cette approche, surtout s'il possède les atouts nécessaires pour aspirer à l'élite. À titre d'exemple, en gymnastique et en natation, le haut niveau se situe en général entre 17 et 23 ans et la spécialisation doit commencer beaucoup plus tôt.

En athlétisme ou en course sur route, comme dans certains autres sports, le ski de fond ou le cyclisme sur route par exemple, le développement de l'athlète est beaucoup plus long. On arrive à son apogée entre 26 et 32 ans, comme au hockey. En course à pied, la majorité des champions d'aujourd'hui ont débuté en athlétisme vers l'âge de 14 à 16 ans.

On trouve même des coureurs de haut niveau ayant connu de belles carrières internationales, mais qui n'avaient malgré tout commencé que dans la vingtaine. Ce sont des exceptions, sans doute, mais elles illustrent le potentiel de développement à long terme dans ce sport.

## DÉTECTION ET ÉVOLUTION

Au Québec, la détection des talents se fait de façon aléatoire. Dans ce contexte, un entraîneur a avantage à posséder un bon réseau de contacts, par exemple des professeurs d'éducation physique allumés qui le préviennent dès qu'ils détectent un élève de talent dans leurs classes. Le hasard fait parfois son œuvre aussi, par exemple un athlète qui vient cogner à votre porte et qui se révèle au fil des entraînements.

C'est au contact d'un entraîneur spécialisé que l'aspirant athlète d'élite aura le plus de chances de progresser à long terme et d'atteindre son plein potentiel. Mais tout entraîneur peut aussi évoluer avec son athlète. Non seulement est-ce motivant, mais c'est aussi nécessaire : avec un athlète de talent, l'entraîneur doit assumer une responsabilité, celle de minimiser les faux pas et les erreurs de parcours. Il lui faut donc, grâce à l'expérience, apprendre les subtilités de l'entraînement qui permettent d'atteindre un haut niveau.

## JAMAIS TROP TARD POUR DEVENIR UN COUREUR D'ÉLITE

Une carrière encore plus tardive en course à pied, c'est possible! La catégorie vétéran, soit 40 ans et plus, compte certains athlètes dans chacune de ses tranches d'âge, soit 40 à 44 ans, 45 à 49 ans, 50 à 54 ans et ainsi de suite, qui livrent d'année en année des performances étonnantes. On peut véritablement parler d'élite.

Il y a dans ces rangs d'anciens champions qui continuent sur la lancée de leur amour pour leur sport et de leur génétique. Mais certains de ces coureurs d'élite vétérans sont aussi des novices, plusieurs d'entre eux ayant commencé sur le tard, après la fin de leur carrière professionnelle ou l'éducation de leur famille (ou les deux). Ils ont le goût de relever de nouveaux défis et découvrent qu'il n'est pas trop tard pour développer leur talent dans ce sport.

Très compétitifs, ils n'ont pas de temps à perdre. La cloche sonne! Habitudes de vie, alimentation, sommeil, programme d'entraînement adapté et meilleur équipement, ils sont à l'affût de tout ce qui leur permettra de réussir. Ce changement radical peut parfois être difficile pour l'entourage proche.

Leurs compétitions de prédilection sont celles mettant en valeur les classements par groupes d'âge. Certains ont l'occasion de participer à des compétitions internationales d'athlétisme, tels les Championnats du monde Masters, et en course sur route. Ils ont la chance, inespérée parfois, de vivre l'expérience et l'honneur de représenter officiellement leur pays à l'étranger!

Peu importe votre âge, tout est possible avec un entraînement bien dosé et un certain talent. Vous pourriez un jour être parmi les meilleurs... de votre groupe d'âge!

# MIEUX
# S'ENTRAÎNER

# EST-IL SI IMPORTANT D'AVOIR UNE BONNE TECHNIQUE EN COURSE À PIED ?

**Ces dernières années, j'observe un nouveau phénomène chez mes coureurs débutants : le souci de maîtriser une bonne technique de course.**

Cette tendance est de plus en plus répandue. Je rencontre même des gens qui veulent avoir une bonne technique de course avant même de commencer à courir... D'autres coureurs, bien légitimement, y aspirent dans l'espoir d'éviter les blessures. N'empêche que j'ai parfois l'impression que la course à pied est devenue un sport technique au même titre que le golf ou le ski alpin.

## LA TECHNIQUE, POURQUOI ?

Au cours des années 1980, au plus fort de l'engouement qui existait à cette époque pour la course à pied, de nombreux coureurs étaient avant tout compétitifs. Pourtant, on faisait peu de cas d'une bonne technique comme facteur de réussite. L'accent était plutôt mis sur la qualité de l'entraînement. La bonne technique, elle, était l'affaire de l'élite qui s'entraînait spécifiquement pour la piste.

Nous vivons aujourd'hui une nouvelle vague de popularité de notre sport, mais maintenant, on n'en a que pour la bonne technique. Les gens courent-ils plus mal qu'avant ? Ont-ils pris de mauvaises habitudes et un pressant besoin de les corriger ? Y a-t-il une phobie des blessures qui se répand ?

Une petite mise au point à ce sujet : il est de plus en plus accepté que la majorité des blessures en course à pied ne résultent pas nécessairement d'une mauvaise technique. Il faut plutôt miser sur un entraînement mieux dosé que sur la perfection de la technique pour mettre toutes les chances de son côté. Telle a été la conclusion, en tout cas, d'un grand débat tenu à Montréal en mai 2015.

Alors, la technique, c'est oui ou c'est non ? Comme entraîneur, je crois qu'une bonne technique contribue à améliorer les performances, mais la peaufiner demeure un travail à long terme.

## UNE QUESTION D'APPROCHE

Auprès du coureur débutant, j'ai donc tendance à limiter mes conseils techniques à l'essentiel. Selon mon expérience, il est plus facile d'y aller un conseil à la fois. Par la suite, c'est à partir de son vécu que l'athlète sera en mesure de mieux comprendre son mouvement et d'y apporter de petites corrections.

Mais encore ? J'ai une approche simple. C'est comme au hockey : il y a le haut du corps et il y a le bas du corps. J'ai demandé à l'entraîneur Jean-François Martel, spécialiste des coureurs d'élite en demi-fond au club Les Vainqueurs, de m'en dire davantage. Quels sont les points importants à surveiller sur le plan technique ?

## LE BAS DU CORPS

L'athlète doit minimiser la force de l'impact au sol et canaliser ses efforts sur le mouvement horizontal, plutôt que vertical. Sinon, il saute à chaque foulée et perd de l'énergie à courir vers le haut.

Il est fréquent que les coureurs aient tendance à attaquer le sol avec le talon. Par conséquent, le contact au sol se produit devant, plutôt que sous le centre de gravité du coureur. Un contact au sol sous le centre de gravité se fera avec le pied davantage à plat.

Une bonne cadence, environ 180 pas à la minute, favorisera un bon contact au sol et l'ensemble du mouvement de la course.

## LE HAUT DU CORPS

Il faut être détendu! En course à pied, être détendu, c'est courir plus vite. Ici, «détendu» veut simplement dire être musculairement relax au niveau des épaules tout en étant juste assez ferme dans ses gestes.

Le balancement des bras peut aussi aider à optimiser la fréquence du mouvement des jambes, car celles-ci bougent à la vitesse des bras. En augmentant le mouvement des bras, la fréquence des jambes va augmenter automatiquement.

# LA MUSCULATION ET LES ÉTIREMENTS SONT-ILS ESSENTIELS AUX COUREURS?

**Tout est relatif! Quand on est un athlète d'élite spécialisé dans une distance de plus de 10 km, il faut éviter d'augmenter sa masse musculaire et conserver un ratio puissance aérobie/poids le plus bas possible. Mais pour le coureur qui ne fait pas partie de l'élite, la recherche d'un équilibre entre la bonne forme physique, la réduction de la perte de masse musculaire due au vieillissement et le rendement à la course incitent à recommander des entraînements complémentaires visant à maintenir ou à développer la force.**

**Par ailleurs, les exercices d'étirement qui améliorent la souplesse, bien que non essentiels à la performance, peuvent contribuer à réduire certaines rétractions musculaires causant des douleurs et apporter un certain bien-être aux adeptes.**

**Voici quelques propos recueillis auprès du kinésiologue René Duval, responsable du centre Acti-Santé du CHUM.**

## LA MUSCULATION

Comme dans tout, il y a des avantages et des inconvénients au fait de pratiquer la musculation. Il faut cependant souligner que la balance penche grandement du côté des avantages, ne serait-ce que pour sa contribution à une bonne condition physique globale et à une bonne posture.

Mais aussi, et cela sera d'intérêt pour bon nombre de coureurs, la musculation peut aider à prévenir certaines blessures ou le développement de tensions. Dans la même veine, un programme de musculation judicieux peut servir de préparation, voire de prévention, ou du moins favoriser un bon rendement musculaire chez les coureurs désirant faire certaines autres activités sportives occasionnelles.

Enfin, la conservation d'une certaine masse musculaire est en vieillissant d'une importance capitale, non seulement dans le contexte de la course à pied, mais aussi dans la vie quotidienne.

Mais attention. Les blessures, les déséquilibres musculaires ou encore un développement trop important de la masse musculaire sont au nombre des risques d'un programme de musculation mal adapté ou mal exécuté.

## LES ÉTIREMENTS

Il n'est pas rare de voir des coureurs s'adonner à quelques étirements à la fin d'une sortie, parfois même avant. Mais souvent, des séances d'étirement en règle ne sont entreprises que lorsqu'il y a urgence ou nécessité de le faire, dans le cadre du traitement d'une douleur, par exemple.

Répétons-le : pour diminuer les risques de blessure, il est toujours bon de s'adonner à des exercices préalables de renforcement par la musculation. En complément, les étirements en tant que tels ne sont pas à déconseiller. Ils libèrent les tensions, contribuent à une bonne posture et procurent à certains une sensation de calme et de bien-être.

En contrepartie, il faut être prudent. Les excès peuvent affaiblir les tendons et les ligaments, créer de l'instabilité articulaire et même provoquer des microdéchirures, voire des déchirures musculaires.

## LE YOGA, TOUJOURS POPULAIRE

Le yoga regroupe toute une gamme de pratiques et d'approches différentes. Dans la plupart de celles-ci, les adeptes sont amenés, par des postures particulières, à développer leur amplitude articulaire.

La qualité de l'enseignement et les directives adaptées à chacun sont des facteurs clés pour la prévention des blessures et pour éviter d'affaiblir les articulations. Cela étant dit, les bienfaits du yoga sont nombreux, par exemple le contrôle respiratoire et la conscience psychocorporelle, pour ne citer que ceux-ci.

## QUE FAIRE SI ON MANQUE DE TEMPS ?

Dans une situation d'horaire chargé, on peut alterner les entraînements de course à pied et les séances d'entraînement complémentaires. Par exemple, si vous courez quatre fois par semaine, vous pouvez programmer deux séances de musculation de 30 minutes durant vos journées libres. Ou encore, vous pouvez faire vos séances à un autre moment de la journée que celui de la course, par exemple, musculation le matin et course sans intervalles le soir.

## QUEL EST LE MEILLEUR MOMENT POUR FAIRE DE LA MUSCULATION ?

Si l'objectif premier est le rendement, il est préférable de faire ses exercices de musculation après la course (si on concentre le tout dans la même séance). De préférence, combiner la musculation avec les entraînements en continu plutôt que par intervalles.

Au cours de l'année, la basse saison, soit de novembre à février, est propice au développement de la force. Pendant la haute saison, de mars à octobre, l'accent sera mis sur son maintien.

Pendant toute période de compétition, il convient de faire une pause de musculation.

## QU'EST QUE ÇA PREND COMME ÉQUIPEMENT POUR FAIRE DE LA MUSCULATION ET DES EXERCICES D'ÉTIREMENT À LA MAISON ?

Certes, un gym possède généralement tout l'équipement qu'il faut pour ces activités. On peut cependant faire de la musculation tant à la maison qu'à l'extérieur, ou même lors de déplacements.

Se servir de son propre poids peut dans bien des cas amplement suffire : les *push-ups*, redressements assis, tractions et autres mouvements sont des exercices tout à fait efficaces. Toutefois, l'emploi de petits équipements comme les sangles de type TRX, les ballons de stabilité, les élastiques ou les poids libres permet d'augmenter la difficulté et la variété de ces exercices.

## QUELLES SONT LES ERREURS LES PLUS FRÉQUENTES À ÉVITER ?

Une fréquence trop élevée et le manque de variété sont à proscrire. Ainsi, en faire tous les jours, être au gym cinq fois par semaine, ne pas décrocher, travailler toujours avec de gros poids, toujours suivre le même programme vous mènera assurément aux blessures, à l'épuisement ou à la démotivation.

L'improvisation est aussi une erreur à éviter. Comme pour la course, la meilleure recette est d'avoir un programme structuré et encadré tout au long d'année. Pour cela, rien de tel que de faire appel à un entraîneur. Discutez-en avec lui et intégrez son programme à votre planification annuelle de course sur route.

# QUEL EST LE PROGRAMME D'ENTRAÎNEMENT IDÉAL?

**Il existe une multitude de programmes d'entraînement en course à pied. On en trouve dans de nombreux bouquins (dont *Courir au bon rythme 1 et 2,* bien sûr!) et magazines spécialisés, sans oublier le web. En effet, la possibilité de se procurer un programme d'entraînement en ligne est aujourd'hui devenue une évidence.**

Disons que le choix est vaste dans ce domaine. Il y en a vraiment pour tous les goûts, et aussi à tous les coûts! En premier lieu, il faut trouver un programme d'entraînement correspondant à son niveau de forme actuel et à ses objectifs à court, moyen et long termes.

Le meilleur programme sera celui en lequel vous aurez entièrement confiance et que vous serez en mesure de suivre du début à la fin sans interruption. Votre emploi du temps est un critère essentiel dans votre choix, puisque le nombre de semaines d'un programme et votre disponibilité seront deux éléments clés de votre réussite.

## IL EXISTE DES PROGRAMMES D'ENTRAÎNEMENTS POUR TOUS LES APPÉTITS

Il y a des centaines de programmes d'entraînement pour tous les appétits, petits et gros. De quoi satisfaire tous les types de coureurs! Mais comment choisir? En faire trop n'est sans doute pas la meilleure option, surtout si vous avez une vie familiale ou professionnelle bien remplie. Pour la grande majorité des coureurs, sauf ceux qui visent les prochains Jeux olympiques, la course à pied doit avant tout demeurer un loisir.

Je constate que les philosophies d'entraînement peuvent être fort différentes d'un programme à l'autre. Plusieurs programmes sont axés sur un volume élevé en matière de kilomètres parcourus, ce qui pourra en rassurer certains quant à leur capacité de terminer leurs épreuves. D'autres programmes sont basés sur une fréquence d'entraînement hebdomadaire minimale, parfois aussi peu que trois fois par semaine, dont une séance d'intervalles, une longue sortie et un entraînement plus modéré.

À ma connaissance, les deux formules fonctionnent assez bien et répondent aux besoins des coureurs. Ma philosophie d'entraînement est située entre les deux et a pour but d'en faire juste assez tout en restant sur son appétit. Le festin, c'est le jour de l'épreuve!

## UN PROGRAMME D'ENTRAÎNEMENT DOSÉ QUI A FAIT SES PREUVES!

En 2005, avec la collaboration du Marathon de Montréal, j'ai eu l'occasion de créer et de diffuser sur le web une série de programmes d'entraînement adaptés à toute la gamme des distances : le 5 km, le 10 km, le 21,1 km, jusqu'au marathon. L'objectif était aussi de bien répondre à la nouvelle vague : des programmes d'entraînement sur mesure pour les coureurs de tous les niveaux.

J'ai abordé ce défi en tenant compte de trois éléments essentiels de l'entraînement : le volume (la quantité ou la distance), le rythme (l'intensité ou la vitesse) et la fréquence (le nombre de fois par semaine). Cette approche m'a permis de définir 10 niveaux d'entraînement, adaptés à la capacité de chacun.

Ces programmes gratuits et accessibles ont permis à plusieurs milliers d'adeptes de la course à pied de tous les niveaux et de toutes les régions du Québec d'avoir une «recette» sécuritaire pour atteindre leur objectif et éviter d'en faire un peu trop.

Des milliers de coureurs au Québec ont fait leurs premiers pas en course à pied en suivant fidèlement ces programmes et ont connu du succès. Pour certains, le programme de base marche-course a été le point de départ d'un périple les ayant menés au fil des années jusqu'au demi-marathon.

Pour d'autres, c'est le programme de marathon qui a servi de base, leur permettant de progresser méthodiquement jusqu'aux standards de qualification du célèbre marathon de Boston.

## N'HÉSITEZ PAS À CONSULTER LES BOUQUINS
### *COURIR AU BON RYTHME !*

Vous trouverez un exposé complet de ces programmes dans les publications *Courir au bon rythme*, tomes 1 et 2. Le premier de ces volumes s'adresse tant au coureur débutant qu'à l'expert, mais c'est celui qui comprend des programmes adaptés tout spécialement aux coureurs qui désirent faire leurs premiers pas en course à pied.

Le second présente pour sa part des programmes d'entraînement un peu plus corsés. Il s'adresse aux coureurs confirmés, forts d'un minimum de deux ans d'expérience, qui désirent passer à un niveau plus élevé de volume et d'intensité.

Rappelons toutefois que les programmes proposés dans le tome 1 permettront à plusieurs coureurs, y compris les coureurs expérimentés, de s'améliorer durant plusieurs années et en toute sécurité.

Il n'existe pas de formule d'entraînement idéale se démarquant des autres de façon absolue. Plusieurs d'entre elles répondent aux besoins de tous les genres de coureurs. Justement, là est la clé : connaître sa capacité actuelle et bien définir son objectif. À partir de là, un programme équilibré vous évitant d'en faire trop sera le meilleur gage de succès.

Vous pouvez télécharger les différents programmes d'entraînement sur le site www.jeanyvescloutier.com.

# COMMENT M'Y PRENDRE POUR AUGMENTER MON NIVEAU D'ENTRAÎNEMENT ?

**Généralement, les coureurs sont assez fidèles à leur programme d'entraînement, surtout lorsqu'ils ont progressé et obtenu du succès en compétition. Changer de niveau d'entraînement peut aider à pousser cette progression encore plus loin, mais il faut être prêt à gérer certains risques. Vaut-il la peine de modifier une recette gagnante ?**

Or, cette recette gagnante, il est possible de la trouver dès ses débuts en course à pied, tout en gardant une certaine constance par la suite. À l'opposé, un début trop rapide ou improvisé comporte un prix que vous aurez à payer tôt ou tard. Les deux premières années d'activité chez un coureur constituent une période d'adaptation importante.

Partir du bon pied, c'est choisir un programme d'entraînement en veillant que les rythmes de course qu'il contient soient adaptés à votre condition physique. Par la suite, vous pourrez fort bien suivre ce programme d'entraînement avec fidélité au fil des années, tout en maintenant une progression importante. Vous aurez tout de même, en cours de route, à apporter des ajustements aux rythmes demandés au kilomètre en fonction de votre progression et de votre niveau de forme, mais sans modifier profondément votre entraînement.

Pour une raison ou une autre qui vous appartient, il est toujours possible que cette méthode douce, qui a pourtant fait ses preuves, ne comble pas vos aspirations à un stade donné de votre développement. Si vous décidez de prendre les grands moyens pour réaliser un progrès qui vous fait rêver, considérez que c'est un peu comme changer d'entraîneur... L'adaptation pourrait s'avérer difficile ou un peu plus longue que prévu, sans garantie de meilleurs résultats. Dans ces conditions, les risques de blessure ou la démotivation sont toujours des dangers qui vous guettent.

## MAINTENIR LA MÊME PHILOSOPHIE D'ENTRAÎNEMENT

Ne vous y méprenez pas, cela ne veut pas pour autant dire que je suis réfractaire au changement et à une certaine variété! Un an après la parution de *Courir au bon rythme,* son succès nous avait convaincus de publier un second tome offrant aux coureurs confirmés des conseils plus pointus et de nouveaux programmes un peu plus corsés. Ces programmes comportent entre autres un volume de travail accru, soit trois séances d'intervalles par semaine au lieu de deux.

L'objectif était de répondre à la demande de coureurs plus expérimentés ayant le goût, le temps et aussi l'énergie d'en faire un peu plus. Mais l'essentiel était de maintenir la même philosophie d'entraînement, à la base de toute la gamme des programmes proposés.

## À QUEL MOMENT DOIT-ON AJUSTER SON PROGRAMME D'ENTRAÎNEMENT?

Si vous courez depuis plusieurs années et constatez que vos performances plafonnent, vous pouvez effectuer un changement dans votre entraînement en passant des programmes du tome 1 de *Courir au bon rythme* à ceux du tome 2. De cette façon, le changement se fera en douceur, mais vous demeurerez dans l'esprit du programme que vous avez suivi jusqu'à maintenant.

Pour les adeptes qui sont satisfaits des programmes d'entraînements du tome 1 et qui sont toujours en progression, il n'est pas nécessaire de passer à ceux du tome 2. Je recommande toujours de s'en tenir à toute bonne vieille recette qui fonctionne bien. En fait, pour certains coureurs, même dans le cadre de *Courir au bon rythme,* un changement d'entraînement peut s'avérer contre-productif.

Aux coureurs de 21,1 km et aux marathoniens qui veulent passer au tome 2, je conseille d'utiliser au début les programmes pour les épreuves de 5 km ou de 10 km. Il faut prendre le temps d'apprivoiser ces nouveaux programmes et permettre au corps d'assimiler le contenu proposé.

Pour les coureurs de 5 km et de 10 km, il est préférable d'aborder les programmes pour ces distances à un niveau plus bas. Un coureur de niveau A dans le tome 1 devrait donc amorcer son programme du tome 2 en tant que coureur de niveau B. Si tout va bien, il y a toujours possibilité de passer à un niveau supérieur selon son niveau de forme.

Les rythmes R1 à R5 proposés dans tous les programmes d'entraînement doivent être respectés en tout temps. Au moins 50 % de votre réussite en dépend.

Si vous hésitez entre deux programmes, prenez toujours le moins difficile des deux. Même chose pour les rythmes d'entraînement proposés au kilomètre. Vous avez l'impression de ne pas rehausser votre entraînement ? C'est une réaction tout à fait normale. Avec le temps, vous allez découvrir qu'y aller graduellement vous mènera loin. Comme le p'tit train !

Oui, c'est un peu contre-intuitif, mais l'important en course à pied, c'est toujours d'en faire juste assez. Et courir lentement, c'est payant !

# QUE FAIRE APRÈS AVOIR TERMINÉ MON PROGRAMME D'ENTRAÎNEMENT ?

**·4:05**

**Plusieurs coureurs me demandent vers quoi ils devraient se tourner lorsque leur programme d'entraînement est terminé et qu'ils ont relevé le défi qu'ils s'étaient donné. Les options sont nombreuses et varient selon la période de l'année.**

Prenons le cas de ces coureurs qui après une période de mise en forme d'au moins huit semaines en tout début d'année ont enchaîné avec un programme d'entraînement spécifique de 10 à 14 semaines et couru en mai ou juin leur première épreuve majeure de la saison. Déjà cinq ou six mois écoulés et tout un parcours derrière eux !

Certains coureurs un peu plus expérimentés, au niveau de forme élevé, peuvent envisager durant l'été d'enchaîner avec un nouveau programme de 10 à 14 semaines en vue d'une compétition automnale.

## RÉDUIRE SON VOLUME D'ENTRAÎNEMENT ENTRE DEUX COMPÉTITIONS IMPORTANTES

Mais plusieurs coureurs auraient avantage à diminuer leur volume d'entraînement durant la période estivale, entre deux compétitions prioritaires, pour bénéficier davantage de ce que j'appelle une pause active à ce moment de l'année.

Les avantages sont nombreux de s'entraîner durant la période estivale selon un volume d'entraînement à la baisse. En plus d'éviter de parcourir de longues distances durant les journées de canicule, cela permet au corps de récupérer avant de reprendre un entraînement de 8 à 10 semaines vers la fin de l'été en vue des objectifs de l'automne.

## COURIR DES DISTANCES PLUS COURTES EN COMPÉTITION DURANT LA PÉRIODE ESTIVALE

Durant la période estivale, vous pouvez entreprendre un programme d'entraînement écourté de 6 à 8 semaines qui aura pour objectif des distances de compétition plus courtes, comme le 5 km ou le 10 km. Par exemple, les programmes d'entraînement au 5 km et au 10 km des deux tomes de *Courir au bon rythme* proposent deux ou trois séances d'intensité par semaine, selon votre niveau.

Pourquoi ces séances d'intensité? Parce que cette période de l'année est propice pour «améliorer sa vitesse», comme on dit familièrement. Il s'agit encore là de diminuer son volume, tout en mettant l'accent sur des séances d'entraînement par intervalles. L'expérience prouve que c'est là une excellente façon d'aller chercher quelques précieuses secondes en compétition. Les secondes retranchées lors des 5 km en compétition représentent toujours des minutes en moins au marathon.

## SI VOUS AVEZ TOUJOURS DE L'ÉNERGIE !

Faisons maintenant un petit saut dans le temps. Supposons que vous avez terminé un autre programme de 8 ou 10 semaines et atteint votre objectif prioritaire de l'automne en septembre ou en octobre. S'il vous reste encore de l'énergie, vous pouvez alors aborder un miniprogramme de quatre semaines en vue d'une compétition de courte distance, sur 5 ou 10 km par exemple. Terminez l'année en beauté avec une dernière compétition à la fin octobre ou en novembre.

## N'OUBLIEZ PAS DE PRENDRE VOTRE REPOS ANNUEL !

À partir de la mi-novembre et à l'arrivée du temps froid, le moment est venu de prendre son repos annuel. D'une durée de deux semaines (sans courir du tout), il sera suivi d'un repos actif de durée équivalente : il s'agit de courir un petit 20 minutes trois fois par semaine au rythme R1. C'est un retour progressif à l'entraînement.

Prenez ensuite le temps nécessaire, huit semaines environ, pour suivre un programme de mise en forme avant d'entreprendre un programme d'entraînement plus sérieux. Sachez que les grands champions s'accordent eux aussi un repos annuel complet. C'est une des clés de la réussite d'une longue carrière.

# QUELS SONT LES ÉLÉMENTS IMPORTANTS D'UN PROGRAMME D'ENTRAÎNEMENT?

**La réponse courte: suivre les instructions de l'entraîneur! Ou, à défaut d'entraîneur, se conformer à la lettre et à l'esprit du programme qu'on s'est procuré. On retrouve dans tout programme d'entraînement qui se respecte trois composantes essentielles: le volume, l'intensité et la fréquence. Ce sont trois ingrédients de base qui permettent à tout entraîneur de concocter sa recette selon son style bien à lui et d'ainsi obtenir... le meilleur plat. Quant au coureur, à lui de bien suivre cette recette!**

## LE VOLUME

Le volume représente le «total couru» en minutes (y compris les intervalles courus en intensité) pendant une séance, une semaine, la durée d'un programme ou encore une année entière. Il doit être établi selon les objectifs de compétition et en fonction de certains autres facteurs: l'âge de l'athlète, son expérience, ainsi que son niveau de performance.

L'augmentation du volume total annuel doit se faire progressivement, environ 10% par année, pour permettre à l'athlète de bien en assimiler les effets. Une augmentation trop rapide du volume peut provoquer un surentraînement et nuire à la progression dans le temps.

Pour la grande majorité des coureurs, l'objectif est d'en faire juste assez en fonction de leur disponibilité quotidienne. Vouloir en faire trop n'est jamais payant à long terme, d'où l'importance de suivre son programme d'entraînement à la lettre. Évitez la tentation d'ajouter des extras en cours de route dans l'espoir d'augmenter votre niveau de forme. Vous pourriez vivre le contraire.

## L'INTENSITÉ

L'intensité se traduit par une échelle de vitesses, ou de rythmes, généralement mesurée en minutes écoulées par kilomètre. Dans mes programmes, cette échelle s'étend du rythme R1 au rythme R5. Elle est propre à chaque coureur. Ainsi, le R3 de Robert, 4 min 5 s au kilomètre, pourrait fort bien valoir un R4 pour Jean-Yves, lui demandant un effort un peu plus élevé.

D'autres terminologies, plus ou moins compliquées, sont utilisées dans d'autres programmes, mais en fin de compte tout cela veut dire la même chose. Quel que soit le programme, ces rythmes en intensité doivent généralement compter pour 20 à 30 % du volume total couru durant la semaine.

N'oubliez pas qu'il y a près de 80 % des coureurs qui n'ont pas de programme d'entraînement et qui ont tendance à courir « au *feeling* ». Résultat, ils courent à l'entraînement à un rythme R2 en permanence, soit 30 secondes trop vite au kilomètre. Erreur de rythme et erreur de dosage.

Plusieurs coureurs débutants ont aussi la mauvaise habitude d'y aller à fond sans se soucier des rythmes proposés lors des séances en intensité. Ils espèrent ainsi progresser plus rapidement. L'improvisation n'a pas sa place dans les séances d'intensité par intervalles. Le bon dosage des différents rythmes doit être prioritaire, car c'est l'élément clé pour obtenir de meilleurs résultats en compétition.

## LA FRÉQUENCE

La fréquence est le nombre de fois que vous allez courir chaque semaine. Selon moi, la fréquence idéale pour la grande majorité des coureurs est de quatre fois par semaine en moyenne. Ou davantage si vous êtes un coureur confirmé ou un athlète d'élite et avez de grandes ambitions !

Quatre fois par semaine, songez-y, cela veut dire courir sur une base très régulière et bénéficier en prime de trois jours de repos bien mérité. Cette fréquence vous permettra de vous améliorer à long terme et surtout de bien récupérer entre les séances.

Vous avez une vie active, des responsabilités, des efforts à fournir à plus d'un titre. Courir trop souvent ne sera pas payant à long terme. Apprenez à rester quelque peu sur votre appétit et cela vous aidera à rester motivé pendant plusieurs années.

## EN CONCLUSION

Je remarque qu'il y a des coureurs qui s'entraînent à l'année avec un volume hebdomadaire très élevé par rapport à leur niveau, tandis que d'autres sont tentés d'augmenter rapidement leur volume d'entraînement durant une année.

Ces pratiques peuvent donner des résultats intéressants à court terme, mais le coureur sera confronté à un niveau de plafonnement assez rapidement. La meilleure option est toujours d'augmenter la charge d'entraînement progressivement au fil des années pour ainsi atteindre ses objectifs à long terme.

# 4:07· COMMENT SE DISTINGUENT LA HAUTE ET LA BASSE SAISON EN COURSE À PIED ?

Environ 95 % des compétitions sur route au Québec ont lieu de mars à octobre, pendant la haute saison. De novembre à février, c'est la basse saison, en apparence plus tranquille. Cette période est pourtant importante dans le calendrier d'un coureur.

C'est notre réalité. Huit mois d'abondance suivis du calme plat, une quasi-absence de courses à l'extérieur. En dépit de ce contraste, il est possible de considérer l'année sous un autre éclairage en la divisant en trois périodes de quatre mois. Chacune d'elles peut comporter un régime particulier d'activités et de buts intermédiaires à atteindre.

## LA BASSE SAISON

De novembre à février, c'est l'heure des bilans et l'occasion de prendre un peu de recul par rapport aux derniers mois d'activité. Pour les uns, c'est un moment parfois fort attendu pour se ressourcer et prendre un repos annuel avant d'entreprendre une nouvelle année de compétition. Pour d'autres coureurs un peu plus saisonniers, c'est le temps de faire autre chose et de pratiquer un sport d'hiver.

Pour le coureur confirmé, le repos annuel est particulièrement recommandable en novembre et décembre. Ce moment lui permettra de commencer sa mise en forme de façon progressive et d'entreprendre en début d'année un entraînement plus précis et plus rigoureux jusqu'à l'objectif du printemps, en avril ou en mai.

## LA HAUTE SAISON 1

De mars à juin, c'est l'arrivée du beau temps et on commence à enlever des couches au fil des semaines. On est tout excité! L'offre d'événements organisés est abondante et la promotion, séduisante. «Inscrivez-vous tôt et bénéficiez d'un gros rabais», peut-on voir partout. C'est attirant, mais il faut s'assurer de faire les bons choix. Surtout, ne pas y aller de façon impulsive ou improvisée : il faut faire ses choix en fonction de sa capacité.

Le coureur expérimenté, pour sa part, a depuis belle lurette une bonne idée de son choix de compétitions printanières. Il a même choisi une suite de types d'épreuves comme rodage pour un jour J, une compétition prioritaire qui viendra plus tard dans la haute saison 1. Il se connaît très bien et évitera de participer à trop de compétitions, ce qui pourrait nuire à son objectif premier de cette première moitié de saison.

## LA HAUTE SAISON 2

De juillet à octobre, on est encore plus en forme et déjà riche de plusieurs mois d'entraînement et de quelques compétitions. Le moment propice pour tenter de relever un plus grand défi, une distance de compétition nouvelle ou plus longue, ou encore viser un record personnel sur un parcours précis commence à se présenter.

Chez le coureur confirmé, c'est le sommet de sa forme physique. La haute saison 2 est la période du grand objectif sur le plan du chrono. Attention, il ne faut pas rater son coup, car il n'y aura pas de deuxième chance. Un objectif raté veut dire attendre à l'an prochain pour se reprendre.

### TROIS PÉRIODES IMPORTANTES COMPORTANT DES OBJECTIFS DIFFÉRENTS

En divisant ainsi l'année en trois périodes de quatre mois, vous serez en mesure de mieux planifier votre saison de compétition et les objectifs que vous visez. Vous pourrez ainsi insérer au bon moment, dans ces 12 mois, les programmes d'entraînement successifs que vous pourriez vouloir adopter.

Téléchargez la grille de planification annuelle de 52 semaines que je mets à votre disposition sur le site www.jeanyvescloutier.com. Cela facilitera votre travail et vous donnera une vue d'ensemble de votre année de course à pied.

## 4:08 POURQUOI LA PLANIFICATION ANNUELLE EST-ELLE IMPORTANTE ?

**La planification annuelle en course à pied est importante, peu importe votre niveau. C'est le plus sûr chemin vers l'atteinte de vos objectifs et un rendement maximal en compétition. Cet exercice vise en particulier le choix des compétitions auxquelles vous participerez et le type d'entraînement à adopter.**

Dans tous les secteurs d'activité, l'investissement de ressources, dont l'une des plus précieuses, le temps, est motivé par l'atteinte du résultat souhaité. C'est la même chose dans tous les sports, y compris la course à pied. Songez donc que vous investissez du temps précieux pour atteindre un objectif précis. Comment optimiser cet investissement? Une bonne planification à moyen et à long termes est une démarche essentielle à votre réussite.

## CONSEILS POUR LES COUREURS DÉBUTANTS

À leurs débuts, plusieurs coureurs n'ont ni entraîneur, ni programme d'entraînement précis. Ils apprennent «sur le tas». C'est normal. Mais il est frustrant de travailler fort à l'entraînement et de ne pas obtenir de résultat concluant en retour. Au fil du temps, on aura avantage à remplacer ces essais et erreurs par autre chose.

Pour le débutant qui en est à ses premiers pas en course à pied, la planification de la saison dans le détail est sans doute moins importante. C'est sa lune de miel avec son nouveau sport, il s'améliore à chaque course et se retrouve parfois un peu comme sur un nuage. Il serait dommage de faire disparaître prématurément cet état somme toute fort agréable. Je crois qu'un débutant doit prendre plaisir à son nouveau sport avant d'ajuster peu à peu ses priorités et d'adopter un programme d'entraînement à sa mesure. Le moment est alors venu de prendre de bonnes habitudes, d'éviter l'improvisation et surtout d'éviter d'en faire un peu trop.

## UNE BONNE PLANIFICATION EST UN GAGE DE RÉUSSITE

La planification annuelle devient essentielle pour le coureur confirmé qui cumule un peu plus de deux ans d'expérience et qui a atteint un certain plateau dans ses chronos en compétition. Plafonner n'est certainement pas définitif. Faire des choix pas toujours évidents, comme réduire son nombre de courses et mettre certaines en priorité par rapport à d'autres, peut donner des résultats surprenants.

Pour l'élite, la planification annuelle est doublement importante, parce que l'atteinte du sommet de sa forme durant l'année est vraiment restreinte à une période très précise. La tâche se complique quand ces athlètes doivent d'abord aller chercher un standard très important pour ensuite, quelques semaines plus tard, atteindre un deuxième sommet de forme lors du jour J.

Depuis plusieurs années, en janvier, je remets à tous mes athlètes une grille de planification annuelle de 52 semaines. L'objectif premier est de connaître leurs choix de compétitions et leurs priorités annuelles.

## IL FAUT ÉTABLIR SON CHOIX DE COMPÉTITIONS ET LE DIVISER EN TROIS PRIORITÉS

**Priorité A :** C'est l'objectif principal de la saison ou de l'année. Cela représente jusqu'à un maximum de trois compétitions prioritaires durant la haute saison.

**Priorité B :** Ce sont les compétitions secondaires qui vous permettront de vous préparer dans les semaines précédant le jour J.

**Priorité C :** Ces compétitions de moindre importance seront l'occasion de tester votre niveau de forme afin d'apporter les ajustements nécessaires à votre entraînement.

À partir de l'information obtenue, je suis en mesure de planifier avec l'athlète son entraînement selon ses objectifs et son niveau d'expérience. Je dois tenir compte de son volume d'entraînement et de son niveau d'intensité de l'année précédente afin de respecter les étapes de sa progression et doser le mieux possible les efforts qu'il devra fournir.

La grille de planification annuelle est donc un outil très utile, tant pour le coureur que pour l'entraîneur. Dans mon bouquin *Courir au bon rythme* tome 2, j'explique davantage cette planification annuelle, que j'illustre aussi à l'aide d'exemples.

Empressez-vous d'aller chercher votre grille de planification au www.jeanyvescloutier.com.

# QUEL EST LE MEILLEUR MOMENT DE LA JOURNÉE POUR S'ENTRAÎNER ?

-4:09——

**Comment programmer son quotidien pour que courir en soit un moment privilégié et pour en maximiser les retombées ? Votre journée recèle toutes sortes de possibilités. Il suffit de planifier un peu et, surtout, de déterminer ce qui s'adapte le mieux à vos activités familiales ou professionnelles.**

Vous êtes employé de bureau ou travailleur autonome, ouvrier ou artiste, sur la route ou à la maison, retraité ou étudiant. Le déroulement de votre quotidien vous est propre et diffère de celui des autres, selon votre réalité. Alors, peut-il y avoir un meilleur moment dans la journée pour aller courir ? Au-delà du principe de base d'éviter de courir immédiatement après un repas, le meilleur moment de la journée pour aller courir, c'est toujours celui que vous choisissez en fonction de votre disponibilité.

Généralement, les coureurs ont tendance à s'entraîner en semaine à un moment précis de leur journée, toujours à la même heure. Ils intègrent ainsi la course à pied à la routine du quotidien. Pour d'autres, l'heure de l'entraînement varie d'une journée à l'autre : matin, midi ou soir leur conviennent et leur assiduité à l'entraînement n'en souffre pas. D'autres encore, souvent confrontés à des contraintes, font d'une pierre deux coups en se déplaçant au travail en courant. Cet investissement de temps de transport rapporte. Il vaut la peine dans ce cas de s'imposer un peu de logistique (hygiène, vêtements de rechange, etc.) et un parcours parfois un peu plus répétitif.

## COURIR SI POSSIBLE À LA CLARTÉ DU JOUR

Pour la grande majorité des coureurs, le meilleur moment de la semaine pour s'entraîner et profiter pleinement de la clarté, c'est le week-end. C'est aussi l'occasion idéale pour courir un peu plus longtemps, avec des amis ou au sein d'un groupe organisé. En outre, le dimanche demeure la meilleure journée de la semaine pour courir, car on a bénéficié de deux jours de congé et d'un meilleur sommeil. D'où la prolifération de coureurs du dimanche. Je plaisante un peu, mais soyons clair, il est fort louable de profiter de la vie en étant un coureur du dimanche. Et ça ne menace aucunement la sécurité publique !

## COURIR TÔT LE MATIN

Revenons au dilemme matin-midi-soir. Chaque moment comporte ses avantages, mais peut exiger des concessions. Ainsi, pour les lève-tôt, courir tôt le matin, en plus de leur donner le sentiment de commencer la journée du bon pied, leur permet de se libérer pour toutes les priorités qui suivront : déplacements, temps à consacrer aux proches, au travail, etc. Par contre, il est essentiel d'avoir de la discipline et la bonne habitude de se coucher un peu plus tôt le soir.

## COURIR DURANT L'HEURE DU LUNCH OU DURANT LA JOURNÉE

Courir le midi au boulot est aussi une excellente option : l'ensoleillement du midi est un plus, surtout l'hiver, et encore là, on s'offre plus de temps par la suite, en soirée en particulier, pour faire autre chose. En revanche, il faut planifier de façon rigoureuse le temps consacré à l'entraînement durant ce bref temps libre, sans oublier deux incontournables : la douche et le repas. Pas évident.

Plusieurs coureurs apprécient la détente que leur procure après le travail un entraînement en fin d'après-midi ou en début de soirée. On se change les idées et on se délie les jambes ! Moins grande que le midi, la contrainte de la ponctualité pour les activités qui suivront (récupérer les enfants à la garderie, prendre le repas en famille, etc.) se pose néanmoins.

## COURIR EN SOIRÉE

Si vous manquez de temps, il y a l'option d'aller courir après le souper ou en fin de soirée, lorsque les enfants sont couchés. Selon la saison, cela peut toutefois impliquer que vous optiez pour une pratique sécuritaire en allant courir sur le tapis roulant au gym ou au sous-sol. Pour le coureur, noirceur et plaques de glace en hiver ne font pas bon ménage. Noirceur et moufettes ou ratons autour des bacs à déchets, en été, non plus ! En outre, il faut tenir compte d'une certaine fatigue nerveuse ou encore d'une surstimulation, qui va s'installer chez certains et qui leur occasionnera de la difficulté à s'endormir.

## COURIR DURANT LES ACTIVITÉS DE SES ENFANTS !

Dans un horaire, il n'y a pas que des contraintes et des dilemmes, il y a aussi des ressources cachées. Ainsi peut-on exploiter les possibilités qu'offrent les activités parallèles. Par exemple, courir lorsque les enfants suivent un cours ou pratiquent un sport, en attendant la fin de l'activité. Pour saisir les occasions qui se présentent, ce n'est pas une mauvaise idée que d'avoir son équipement de course à pied avec soi en tout temps. Allez hop ! un petit jog !

Dans certains clubs d'athlétisme, dont le mien, il y a une formule qui connaît un certain succès depuis quelques années, soit une section initiation à l'athlétisme réservée aux jeunes. L'entraînement se déroule au même moment que l'activité de course à pied réservée aux adultes. Voilà une activité intergénérationnelle qui offre une solution à plusieurs parents.

## S'ENTRAÎNER À L'HEURE DE LA COMPÉTITION

Dernier truc : si vous vous préparez à une compétition, à quelques semaines du jour J, n'hésitez pas à modifier votre horaire d'entraînement le week-end pour permettre à votre corps de s'adapter à l'heure de votre compétition. Courez à cette heure-là.

Avec une certaine discipline de vie, vous réussirez à intégrer la course à pied à votre quotidien et, même au milieu d'un tourbillon, vous bénéficierez pleinement de ce temps réservé juste pour vous.

Voir aussi 2:08 (page 38), *Quels sont les bienfaits de la course à pied pour faire face au stress du quotidien ?*

# PEUT-ON DÉPLACER DES SÉANCES D'ENTRAÎNEMENT AU COURS DE LA SEMAINE ?

**L'objectif premier d'un programme d'entraînement est de fixer des balises et d'encadrer le coureur afin qu'il puisse s'améliorer et atteindre ses objectifs. Il est important de doser l'effort selon son niveau et d'éviter ainsi les effets du surentraînement. Malgré cela, tous les programmes d'entraînement peuvent être modifiés, mais pas de façon improvisée.**

Par définition, un programme d'entraînement suit une certaine logique et doit être respecté à la lettre pour donner des résultats. Si vous êtes du style à vouloir ajouter des ingrédients à la recette, le gâteau pourrait ne pas lever ! Voici donc quelques règles à suivre si vous êtes contraint de modifier votre calendrier.

Pour illustrer, je me référerai aux programmes d'entraînement proposés dans les tomes 1 et 2 de *Courir au bon rythme* et qui prévoient dans la plupart des cas des séances en intensité le mardi et le jeudi, une séance plus modérée le samedi et une longue sortie le dimanche.

Si vous courez de trois à cinq fois par semaine en incluant les deux journées du week-end, vous pouvez en tout temps intervertir les entraînements du samedi et du dimanche. Aménager ainsi du temps pour une activité entre amis ou en famille ou encore pour pratiquer un autre sport vous aidera à demeurer motivé et à respecter votre programme.

## LA SÉANCE DU SAMEDI PEUT DEVENIR UNE JOURNÉE FLOTTANTE EN SEMAINE

La petite journée d'entraînement prévue le samedi peut aussi être déplacée en tout temps pour libérer votre horaire du week-end. Vous pouvez en faire une journée flottante qui prendra la place d'une journée de congé en semaine, soit le lundi, le mercredi ou le vendredi.

## ÉVITEZ DE COURIR DEUX JOURNÉES DE SUITE AVEC INTENSITÉ

Une règle importante à respecter est de ne pas s'entraîner deux journées consécutives en intensité R2, R3, R4 et R5, comme cela est prévu le mardi et le jeudi, plus le dimanche pour certains coureurs avancés.

En revanche, vous pouvez décaler vos séances d'entraînement en intensité en semaine, soit le mercredi et le vendredi, ou encore le lundi et le mercredi, à condition dans ce dernier cas qu'il n'y ait pas de séance en intensité prévue le dimanche. Peut-on déplacer des semaines entières d'entraînement ? Oui, c'est possible, à la condition de respecter certaines subtilités, surtout à l'approche d'une compétition importante.

## PARTICIPER À UN TEST OU À UNE COMPÉTITION ?

L'occasion se présente par exemple au moment du test intermédiaire d'un programme. En effet, dans tous les programmes d'entraînement de *Courir au bon rythme,* tomes 1 et 2, nous proposons à la semaine 7 de la période spécifique un test ou une compétition sur une distance précise.

Une parenthèse ici : quelle est la différence entre un test et une compétition ? Généralement, le test se déroule sur un parcours non officiel dans le cadre d'un entraînement régulier, alors que la compétition se déroule dans un cadre officiel sur un parcours sécuritaire et balisé.

Dans les deux cas, l'objectif est d'évaluer son niveau de forme à un moment précis de son programme, à mi-chemin de l'objectif de compétition. Vous pouvez même créer votre propre épreuve dans le cadre d'un test maison sur votre parcours préféré. Mais attention, il n'y a rien d'aussi stimulant qu'une compétition officielle et porter un dossard sur la poitrine sur une ligne de départ.

Si vous désirez participer à une compétition mais que cette dernière n'a pas lieu au cours de la semaine 7 de votre programme, échangez une semaine contre l'autre. Pourvu que votre semaine de compétition ait lieu entre les semaines 5 et 9 du programme : faites à cette occasion les séances qui avaient été prévues pendant la semaine 7. Elles sont conçues pour vous préparer à l'épreuve. Et au cours de la semaine 7, faites les séances de la semaine que vous avez empruntée.

## LES COMPÉTITIONS EN SEMAINE

Même principe si votre compétition se déroule en semaine, un mercredi par exemple. Inversez deux blocs de trois jours : le dimanche prévu dans le programme pour une compétition ainsi que le vendredi et le samedi qui la précèdent, contre le lundi, le mardi et le mercredi dont vous avez besoin pour votre épreuve. Vous y arriverez ainsi fin prêt.

Selon le vieux dicton, vaut mieux ne pas remettre au lendemain ce qu'on peut faire le jour même. C'est vrai ! Mais pas toujours. Avec de la discipline, vous pouvez apporter de petits ajustements et personnaliser votre programme d'entraînement pour le suivre ensuite en toute quiétude jusqu'au jour J. Soyez rigoureux et vous serez gagnant sur toute la ligne.

-4:11-

# PUIS-JE AJOUTER UNE AUTRE ACTIVITÉ CARDIO À MON PROGRAMME D'ENTRAÎNEMENT EN COURSE À PIED ?

Il n'y a pas que la course dans la vie ! On ne s'étonnera pas que des coureurs de tous les niveaux pratiquent d'autres sports, souvent de type cardio, en plus de suivre leur programme d'entraînement. Qui n'a pas envie de profiter des activités de la saison ou de simplement briser la routine, à l'occasion ? Ou encore de prendre un peu de répit tout en maintenant son niveau de forme ?

En fait, je ne vois que des avantages à cette pratique, mais si votre programme est votre priorité et que vous êtes du genre compétitif, il y a alors peu de place pour l'improvisation. Heureusement, il y a des moyens de s'assurer d'une bonne intégration d'un sport cardio à un programme d'entraînement.

## QUOI, POURQUOI ET QUAND

Pour les coureurs, le choix de sports cardio complémentaires à la course, selon les goûts et les saisons, ne manque pas. Ski de fond, patin ou raquette en hiver, vélo, natation en été, et j'en passe ; toutes ces activités ont ceci d'intéressant qu'elles peuvent contribuer à un maintien de l'endurance et, en principe, à une réduction des impacts au sol.

À ne pas négliger non plus, certains appareils populaires chez les coureurs, comme le tapis roulant, l'exerciseur elliptique et le vélo d'exercice, ou d'autres activités de groupe au gym comme le spinning, pourront vous rendre de bons services selon les conditions météo.

Il y a les sports complémentaires pour le plaisir, mais il y a aussi le recours aux sports complémentaires parce que, parfois, il le faut. Le cas le plus évident est celui de l'athlète blessé. L'aquajogging en piscine, c'est-à-dire la pratique des mouvements de course en flottant à la verticale, est une excellente façon de continuer à s'entraîner et de maintenir un bon niveau de forme sur le plan cardio. Plusieurs athlètes d'élite en période d'arrêt obligatoire qui utilisent cette façon de s'entraîner obtiennent des résultats très intéressants.

La pratique d'un sport complémentaire peut aussi être préventive chez certains athlètes plus fragiles et sujets aux blessures voulant maintenir un certain volume de travail. Chez les vétérans, elle peut favoriser la récupération entre les séances d'entraînement ou entre deux programmes, et même prolonger leur carrière de coureur.

Certains athlètes d'élite de niveau mondial spécialisés en fond et en demi-fond utilisent même cette méthode pour augmenter leur volume d'entraînement, tout en limitant les impacts au sol. Sur ce plan, le dosage est doublement important et tous les aspects du programme doivent être surveillés à la loupe jusqu'au jour J.

Le meilleur moment de l'année pour intégrer un sport cardio complémentaire est la basse saison (à partir de novembre) ou la période de remise en forme précédant le printemps. Durant les périodes d'entraînement spécifique et à l'approche des compétitions importantes, il est préférable de s'en tenir si possible à l'intégralité de son programme.

## DOSAGE, DOSAGE !

Pour continuer à obtenir de bons résultats en compétition, le bon dosage, c'est la clé. Pour s'assurer d'avoir un entraînement bien dosé, il faut tenir compte de trois éléments essentiels : le bon volume de travail, les bons rythmes sur le plan de l'intensité et, enfin, la bonne fréquence hebdomadaire.

Si vous cherchez à atteindre des objectifs précis en course à pied, je le souligne, la règle à suivre dans votre entraînement sera de toujours courir un minimum de trois fois par semaine. À cela, ajoutez une séance de votre sport cardio préféré. Pendant les séances de course, appliquez les rythmes prévus au programme.

Voilà pour la fréquence et l'intensité. Qu'en est-il du volume ? Ces 160 km Lachute-Gatineau que vous aimeriez bien tenter en ski de fond ce week-end ne forceront-ils pas un peu la note ? Euh... oui. Encore une fois, pour ceux qui ont en vue et à cœur un objectif de course précis, il vaudrait mieux planifier les efforts additionnels, puisque, après tout, ils font partie de l'entraînement.

Comme règle générale, utilisez un ratio de 3 pour 1. À effort égal, considérez que 60 minutes d'un autre sport aérobie équivalent à 20 minutes de course à pied. Ainsi, si aviez envisagé une longue sortie de 80 minutes de course ce dimanche, 4 heures de ski ou de vélo à intensité modérée feront tout aussi bien l'affaire.

Bon cardio !

# LE SOMMEIL AMÉLIORE-T-IL LA PERFORMANCE ?

**Quand on pratique une activité physique, le sommeil ne doit pas être négligé, que ce soit pour préparer un entraînement intense ou une compétition. Il joue un rôle primordial dans la récupération physique et la performance sportive. Pour les coureurs, soigner son mode de vie en prenant soin d'avoir un bon sommeil, tant sur le plan qualitatif que quantitatif, est essentiel. Voici quelques propos sur le sujet, recueillis par le coach auprès de Josée Cloutier.**

Les habitudes et les besoins sont très variables d'un individu à l'autre. Chaque personne a son rythme de sommeil propre. Le coureur qui veut améliorer ses performances doit avant tout connaître son profil de dormeur.

Êtes-vous du matin ou du soir ? Si vous êtes du matin, il est préférable de faire votre entraînement en première partie de la journée, lorsque cela est possible, et de ne pas veiller tard le soir. À l'inverse, si vous êtes du soir, privilégiez la pratique sportive dans la seconde partie de la journée et récupérez autant que possible le matin. Ne vous sentez pas coupable de vos grasses matinées le week-end !

## QUEL EST LE NOMBRE D'HEURES DE SOMMEIL IDÉAL ?

Avez-vous besoin de dormir beaucoup ou quelques heures vous suffisent-elles ? Pour les «courts dormeurs», cinq ou six heures de sommeil sont nécessaires pour se sentir en forme. Pour d'autres, une bonne nuit de sommeil dure au minimum de 9 à 10 heures. Ce n'est pas de la paresse ! À chacun de trouver la bonne dose.

## COMMENT FONCTIONNENT LES CYCLES DE SOMMEIL ?

Nous avons tous une horloge interne qui conditionne notre rythme de veille et de sommeil sur une période de 24 heures. Elle est réglée par une région précise du cerveau. Un cycle de sommeil dure environ 90 minutes et nous enchaînons plusieurs cycles au cours de la nuit, soit de quatre à six. Chaque cycle comporte plusieurs phases, définies en fonction de la profondeur du sommeil. C'est la phase de sommeil profond qui permet à l'athlète de récupérer à la fois sur les plans mental et musculaire.

Le sommeil joue plusieurs rôles importants quand on pratique un sport : reconstitution des réserves énergétiques (glucose) des cellules musculaires et nerveuses, production des hormones de croissance et régulation de la glycémie, élimination des toxines, stimulation des défenses immunitaires, consolidation de la mémoire, régulation de l'humeur et du stress.

Le manque de sommeil est souvent associé à l'augmentation de la perception de l'effort et au manque d'énergie. Il accroît aussi les sensations de tension, la fatigue et la confusion. C'est pourquoi il faut veiller à respecter les cycles de sommeil.

## SE RÉVEILLER TOUS LES JOURS AVEC LE RÉVEILLE-MATIN, EST-CE UNE BONNE CHOSE ?

Dans un monde idéal, il serait préférable de se réveiller sans la sonnerie d'un réveil, mais dans la vie moderne, cette conception paraît utopique. Chez le sportif, il faut avant tout éviter la restriction chronique. Le manque de sommeil a forcément un effet sur la récupération et la forme physique.

Si votre vie professionnelle vous oblige à avoir des contraintes d'horaire et à vous réveiller avec le réveil-matin, respectez un rythme de vie équilibré en semaine et prenez soin de bien récupérer durant vos jours de congé et en vacances.

Ce n'est pas le manque de sommeil la veille de la compétition qui nuit aux performances, mais plusieurs nuits de privation successives. Une dette de sommeil chronique augmente les risques d'inflammation des tissus, les douleurs articulaires et engendre donc des risques accrus de blessure.

## LES SIESTES SONT-ELLES RECOMMANDÉES ?

La sieste peut être profitable au sportif, notamment quand l'entraînement est planifié l'après-midi ou le soir. Ceux qui se lèvent tôt manquent de sommeil. Les personnes âgées (qui courent ou non !) peuvent aussi en avoir besoin, car avec l'âge, le sommeil change et devient moins profond. Résultat, on a tendance à se lever plus tôt.

La sieste ne doit pas durer plus de 20 à 25 minutes afin de ne pas enclencher un cycle de sommeil et hypothéquer la nuit suivante. Sachez que rester au lit sans dormir n'est pas utile pour améliorer les performances. Avant une compétition, plus particulièrement avant les courses de longue distance ou les *ultratrails*, dormez le plus possible les jours précédant l'épreuve, en y ajoutant si possible des siestes.

## QUELS SONT LES TRUCS POUR ÉVITER L'INSOMNIE AVANT UNE COMPÉTITION ?

À l'approche d'une compétition, le stress peut perturber le sommeil. Voici **quelques astuces pour bien dormir** :

- La chambre doit être fraîche, car la baisse de la température corporelle favorise l'endormissement.

- Privilégiez la régularité en vous réveillant et en vous endormant aux mêmes heures.

- Supprimez toutes les sources de lumière et évitez de manipuler les objets lumineux (ordinateur, télé, tablette ou téléphone) avant le coucher.

- Par ailleurs, limitez les prises liquides avant d'aller au lit pour ne pas avoir envie d'aller uriner pendant la nuit. Les excitants comme le café, le thé, l'alcool ou les repas trop lourds peuvent vous empêcher de bien dormir.

- Si vous tournez en rond dans le lit, levez-vous, faites une activité calme (lisez quelques pages d'un livre ou d'un magazine avec une lumière tamisée, pensez à un moment agréable que vous avez vécu...) et attendez que les signaux d'endormissement se manifestent de nouveau avant d'aller vous recoucher.

- Si votre compétition nécessite de dormir à l'extérieur du domicile, évitez de vous laisser perturber par le nouvel environnement en éliminant les sources de stress inutiles (bruit, lumière, odeur, etc.).

- Enfin, laissez passer au moins 90 minutes après le repas ou l'entraînement avant d'aller vous coucher.

Voir aussi 4:09 (page 87), *Quel est le meilleur moment de la journée pour s'entraîner ?*

## 4:13 POURQUOI LE REPOS ANNUEL EST-IL IMPORTANT ?

**Peu importe le type d'emploi que vous occupez ou le sport que vous pratiquez, le repos annuel est un passage obligatoire. Vient un moment où vous devez recharger vos batteries sur le plan physique et aussi sur le plan mental. Cette pause annuelle, il faut la planifier en début de saison en même temps que les objectifs de performance.**

Il y a quelques années, alors que je devais écrire un texte sur le sujet, je me suis rendu compte, au cours de mes recherches, qu'il y avait très peu de littérature sur le sujet, beaucoup moins en tout cas que sur toute la panoplie des méthodes d'entraînement qui existent. Selon moi, le repos annuel est un facteur essentiel de réussite à long terme et une partie intégrante de la planification annuelle.

Je remarque cela chez les coureurs de tous les niveaux : ils négligent cet aspect important de l'entraînement et terminent leur saison la langue à terre, une indigestion de course à pied, quoi! qui peut même mener à une pause obligatoire pour cause de manque de motivation et d'énergie.

## LE REPOS ANNUEL EST UNE PARTIE INTÉGRANTE DE L'ENTRAÎNEMENT

Au cours des mois, vous avez été conditionné par de nombreuses heures d'entraînement et vous y avez pris goût en faisant plusieurs compétitions. La pause annuelle, c'est l'étape du déconditionnement.

Or, il peut être difficile de lâcher prise, même pour un athlète de haut niveau. Il m'est arrivé à quelques occasions de devoir négocier la durée du repos annuel avec certains athlètes d'élite que j'entraînais. Pour un athlète, il est toujours difficile de décrocher, surtout après une saison de rêve, sans embûche. Il préfère rester sur son nuage plutôt que de revenir à la réalité.

Pour d'autres coureurs, fermer les yeux sur cette pause annuelle est volontaire. Ils craignent de perdre les acquis de la saison. Faites-vous le même raisonnement pour votre emploi ? Il est vrai que certains peuvent passer de nombreuses années sans prendre de vacances avant de se rendre compte qu'ils ont de la difficulté à décrocher de leur boulot. Mais en sport, c'est une autre histoire !

## LE REPOS POST-MARATHON N'EST PAS CONSIDÉRÉ COMME LE REPOS ANNUEL

Autre piège à éviter, confondre la récupération post-marathon et le repos annuel. Interrompre son entraînement pendant deux semaines après l'épreuve est bénéfique, mais ne constitue pas un repos suffisant dans le cadre d'une année d'entraînement.

Je suggère également aux coureurs qui ont été contraints à un arrêt forcé, à la suite d'une blessure ou d'une maladie par exemple, de prendre comme prévu un repos annuel. Il faut éviter une période trop longue sans repos après un « retour au jeu ».

Le meilleur moment de l'année pour faire une pause annuelle est la basse saison, de novembre à février, période pendant laquelle peu de compétitions importantes ont lieu.

Que vous soyez un coureur compétitif ou récréatif, le repos annuel durera généralement un mois, dont deux semaines de repos complet, sans courir du tout, suivies de deux autres semaines de repos actif. Un repos actif veut dire recommencer à courir modérément, à raison de trois fois par semaine, de 20 à 30 minutes par séance.

Au cours du mois suivant, reprenez doucement avec un entraînement de mise en forme, en augmentant progressivement le volume de travail et ensuite l'intensité, jusqu'à leur niveau d'avant votre pause. Après ces deux mois, vous aurez retrouvé sensiblement le même niveau de forme qu'avant votre arrêt.

## C'EST DIFFICILE DE DÉCROCHER

Que faire durant cette pause annuelle, en attendant de recommencer à courir? C'est ce que me demandent plusieurs coureurs. Peut-on pratiquer un autre sport de type cardio ou faire de la musculation pour ne pas perdre la forme? Ma réponse est non! Il faut décrocher et faire autre chose que du sport durant les deux semaines de repos complet. En manque d'idées? Magasinez! Allez au cinéma!

Même les entraîneurs doivent planifier leur repos annuel, surtout s'ils aspirent à une longue carrière. Le métier d'entraîneur est parfois exigeant et le recul permet de revenir en force au début d'une nouvelle saison.

Un repos annuel en course à pied n'est pas un luxe! Cette pause vous permettra de recharger vos batteries et de maintenir votre enthousiasme au fil des années.

# COMMENT GÉRER MON PROGRAMME D'ENTRAÎNEMENT DURANT LA PÉRIODE DE VACANCES ?

-4:14

**Il arrive à tout coureur de devoir prendre ses vacances annuelles au beau milieu d'un programme d'entraînement. Pendant cet intervalle, les déplacements, l'endroit qu'il visite (l'Himalaya, par exemple) ou encore les responsabilités familiales sont autant de contraintes inévitables qui le forcent à « en sauter des bouts ». Au retour des vacances, c'est le retour à la réalité. Il doit reprendre son entraînement à quelques semaines de l'épreuve. Comment bien gérer cette situation et arriver préparé, malgré tout, au jour J ?**

Prenons un cas contraignant au maximum, des vacances sportives par exemple. Un trajet de cyclotourisme ou un circuit de randonnée pédestre en montagne n'est jamais de tout repos. Est-il seulement envisageable de courir en plus ? Comment doser sa dépense énergétique pour éviter d'en faire trop ?

(Une parenthèse ici : malgré votre excellente forme physique, puisque vous êtes coureur, il est toujours recommandé de pratiquer quelque peu l'activité physique prévue pendant les vacances au cours des semaines qui précèdent, question d'éviter les courbatures ou même les blessures.)

## COUREZ EN MODE ATTENTE

Si votre activité sportive pendant vos vacances vous demande tous les jours un effort physique important, je vous recommande d'arrêter votre programme d'entraînement régulier. Continuez plutôt à vous entraîner en mode attente selon un minimum requis suggéré.

Le minimum requis suggéré pendant vos vacances est de courir de trois ou quatre fois par semaine, pendant 20 à 30 minutes en R1, votre rythme de base. N'en faites pas plus que durant le repos actif qui suit le repos annuel de l'automne. De cette façon, vous maintiendrez votre forme musculaire *de course à pied* et, dès votre retour de vacances, vous serez en mesure de reprendre votre entraînement là où vous l'aviez arrêté.

## À VOTRE RETOUR DE VACANCES, PAS D'INTENSITÉ !

Au retour, donc au cours de la première et peut-être de la deuxième semaine, il sera important de reprendre l'entraînement proposé en excluant toutes les intensités prévues au programme. Ne courez qu'en endurance fondamentale R1. Par la suite, si tout va bien, vous serez en mesure de poursuivre votre programme de façon intégrale jusqu'à l'objectif final.

Le scénario idéal pour maximiser vos chances de réussite serait de planifier votre retour de vacances au moins cinq semaines avant l'objectif de compétition. Vous aurez ainsi tout le temps nécessaire pour remettre la locomotive en marche bien avant le jour J.

Pour ceux qui hésitent encore à l'idée de faire une pause au milieu d'un programme, sachez que j'ai pu observer les effets bénéfiques d'un tel repos actif même chez des athlètes d'élite inscrits à des programmes intenses.

À l'entraînement, il vaut toujours mieux en faire un peu moins qu'un peu trop !

Un petit truc, en terminant : au cours du dernier week-end complet précédant votre départ en vacances, je vous suggère de participer si possible à une compétition ou de faire un test sur votre parcours d'entraînement, ce qui est de toute façon prévu au milieu des programmes que je propose. C'est sans doute le moment le plus propice pour cette vérification de forme, sachant que vous serez en repos actif (en principe !) dans les jours suivants.

# COMMENT S'ENTRAÎNER DURANT LA PÉRIODE HIVERNALE ?

**Pas toujours évident de courir en hiver au Québec! Votre premier hiver en course à pied sera même un peu plus difficile si vous êtes un coureur débutant. Comme les automobilistes à leur volant, avec l'expérience, vous apprendrez à adapter votre «conduite» aux conditions, en apportant au quotidien les ajustements nécessaires à un entraînement agréable et sécuritaire.**

Si vous avez inscrit, dans votre planification annuelle, une compétition prioritaire au début du printemps, il est certain que le gros du volume de votre entraînement va s'effectuer en plein cœur de la période hivernale. Vous devrez vous assurer que votre objectif de compétition est réaliste. Si, après réflexion, vous avez un doute, songez à déplacer votre objectif prioritaire à la fin de l'été. Un entraînement soumis à des conditions climatiques plus clémentes vous avantagera.

Ne laissez pas tout tomber pour autant de décembre à avril! Allez jouer dehors! Certes, si les conditions deviennent difficiles, les longs mois d'hiver peuvent parfois paraître plus longs et votre volume d'entraînement, encore plus imposant. Pour déjouer cette sensation d'adversité, intégrez à votre programme d'autres sports cardio, comme la raquette ou le ski de fond, ou encore ayez recours au tapis roulant lorsque les conditions climatiques ne sont vraiment pas au rendez-vous. De cette façon, vous maintiendrez une excellente forme physique avant d'entreprendre un entraînement un peu plus spécifique.

## METTRE EN PRIORITÉ L'ENTRAÎNEMENT EXTÉRIEUR EN HIVER, POURQUOI PAS !

On s'en surprendra peut-être, mais bien des coureurs s'entraînent plus souvent à l'extérieur qu'à l'intérieur durant la période hivernale. D'autres, bien sûr, vont préférer le tapis roulant pendant toute la saison froide.

Le hic avec le tapis roulant, si on l'utilise régulièrement l'hiver, c'est qu'on peut trouver difficile de quitter les conditions idéales d'entraînement en salle pour retourner courir à l'extérieur. Essayez et vous verrez le contraste. Complications à l'horizon à l'approche d'une compétition sur route !

Le meilleur conseil dans cette situation est d'alterner entre le tapis roulant en semaine et la course à pied à l'extérieur le week-end. De cette façon, la période de transition sera moins longue pour entreprendre une vraie saison sur route.

Il faut bien prendre note, toutefois, que courir sur un tapis roulant, ce n'est pas la vraie réalité du coureur. C'est courir dans des conditions idéales sans aucune difficulté sur le plan des conditions climatiques (vent, froid ou chaleur) et celui de la surface : elle est uniforme et ne comporte aucun dénivelé important. Ainsi, courir 40 minutes à l'extérieur est beaucoup plus difficile que courir la même durée sur un tapis roulant.

Certes, le tapis offre des conditions sécuritaires : c'est une excellente option pour un retour de blessure ou pour éviter de courir à l'extérieur sur des parcours parfois glacés et mal éclairés.

En hiver, la natation et le vélo d'exercice demeurent deux activités cardio complémentaires très intéressantes, tant pour les triathlètes que pour les coureurs. Je vous conseille tout de même de courir un minimum de trois fois par semaine en hiver pour maintenir votre forme de coureur.

## BIEN SE VÊTIR, SURTOUT L'HIVER

Pour ces trois sorties, bien vous vêtir protégera non seulement votre santé, mais aussi votre motivation à l'entraînement. Nous avons la chance de vivre à une époque où les vêtements techniques ont évolué de façon marquée : pour peu qu'on sache bien les utiliser, la pratique de notre sport en devient beaucoup plus agréable. Vous l'avez sûrement déjà entendu dire dans n'importe quelle boutique spécialisée : portez plusieurs couches, dont un chandail technique pour garder la chaleur du corps, une deuxième couche pour absorber la sudation et un coupe-vent pour compléter le tout.

N'oubliez pas de vous vêtir en fonction de la température du jour. S'entraîner en hiver à -20 °C, ce n'est pas la même chose qu'à -5 °C. Ajoutez une couche supplémentaire au besoin et changez de tuque (et d'allure, par surcroît). Mettez vos mitaines lorsqu'il fait plus froid !

## ASSUREZ-VOUS D'AVOIR DE BONS PNEUS...

En hiver, oubliez les chaussures à semelle lisse. Votre pire ennemie, la surface glacée, vous attend. Allez-y avec des chaussures de course munies de petits crampons en caoutchouc. Depuis quelques années, on voit aussi des coureurs utiliser des crampons à neige qu'ils accrochent à leurs semelles. Ce type d'équipement est bien adapté à des conditions où la plus grande partie du parcours est couverte de neige ou de glace. Toutefois, son utilisation peut devenir désagréable sur une surface ni enneigée ni glacée. La solution pour une longue sortie sera de garder dans vos poches ces fameux crampons, au cas où.

Durant l'hiver il faut réduire sa foulée pour éviter les chutes et surtout ne pas s'entêter à courir à tout prix au même rythme au kilomètre que durant la période estivale. Si, parfois, il vous arrive de tomber... bienvenue dans le club ! Tous les coureurs ont vécu des chutes durant leur carrière.

Pour réduire le risque de chute, le choix des parcours est important en hiver. Je vous suggère de courir sur des parcours plus courts (de 2 km à 5 km), en boucle, pour vous permettre à chaque tour de déceler les pièges. En cas de mésaventure, vous ne serez pas trop loin de votre point de départ.

Le rythme d'entraînement en hiver est généralement plus lent de 15 à 30 secondes au kilomètre par rapport au rythme de la période estivale. C'est la même approche que pour la conduite automobile.

Si les conditions climatiques sont carrément dangereuses, un froid extrême, des surfaces complètement glacées ou du grand vent, par exemple, remettez votre entraînement au lendemain.

# DEVRAIS-JE CALCULER MON VOLUME D'ENTRAÎNEMENT EN MINUTES OU EN KILOMÈTRES ?

**Depuis quelques années, de plus en plus de programmes tiennent compte du temps d'entraînement pour déterminer ce qu'on appelle le volume, c'est-à-dire la quantité de travail accompli. Le temps d'entraînement est une donnée précise qui permet d'évaluer votre volume, peu importe les conditions, la période de l'année ou l'endroit où vous courez.**

À une certaine époque, bon nombre de programmes d'entraînement étaient structurés en fonction des kilomètres à parcourir. Ce genre de programme permet de connaître la distance cumulée au cours d'une semaine, d'un mois ou d'une saison. Encore faut-il connaître la longueur des parcours utilisés.

Toutefois, cela constitue-t-il pour autant une mesure juste de l'effort total fourni ? Selon les circonstances et les conditions, une même distance à franchir peut représenter une somme d'efforts très différente d'une fois à l'autre.

En prenant plutôt la durée de l'entraînement comme référence, il devient possible d'ajuster son rythme aux conditions (température ambiante, vent contraire, terrain accidenté, niveau de forme ou état de fatigue ce jour-là) pour qu'au final l'effort fourni soit équivalent à ce qu'il aurait été dans des conditions normales.

## L'ARRIVÉE DES MONTRES GPS

Aujourd'hui, avec le GPS et les montres intelligentes, plus besoin de se reporter uniquement aux distances connues à l'avance pour régler l'intensité de son effort et compiler son volume.

Ces outils permettent de connaître en tout temps le rythme précis de la course, que ce soit à l'instant ou comme moyenne sur une distance ou dans un intervalle de temps donné. Ainsi, les écrans de votre montre peuvent vous indiquer qu'à cet instant précis vous courez à 6 min/km, alors que vous avez parcouru votre dernier kilomètre en 5 min 45 s, ou encore que votre dernier intervalle chronométré d'une durée de trois minutes a été fait au rythme de 5,5 min/km.

Une foule d'autres données sont à votre disposition, y compris la distance totale parcourue, le temps total d'entraînement, les calories dépensées, et j'en passe beaucoup.

## CALCULER SON VOLUME D'UNE AUTRE FAÇON

Avec toutes ces statistiques, vous êtes en mesure de gérer votre effort avec plus de flexibilité. Je vous propose de considérer votre volume de travail comme une durée d'effort accompli.

Mes programmes d'entraînement sont donc organisés autour de durées totales par séance et de divers rythmes de course à respecter (un certain nombre de minutes par kilomètre) à l'intérieur de périodes chronométrées (pendant un certain nombre de minutes).

Ajustez ces rythmes en tenant compte des conditions environnantes. Ainsi, je ne m'attends pas à ce que vous couriez à votre rythme R1 dans 20 cm de neige comme vous le feriez sur la route l'été, à 6 min/km, par exemple. Allouez-vous donc une minute de plus du kilomètre dans de telles conditions et on pourra alors parler d'un effort équivalent. Vous voyez donc qu'au cours d'une heure d'entraînement l'hiver, vous n'aurez pas parcouru la même distance qu'au cours d'une heure en été. On peut par contre quand même parler d'un effort équivalent pour la même durée, donc du même volume.

## QUELQUES AVANTAGES

Un premier avantage de cette approche est d'éviter d'augmenter son volume de façon désordonnée. Au début des entraînements, il peut être tentant d'essayer de toujours parcourir une plus grande distance qu'au cours de la séance précédente, de battre son record quoi. C'est une illusion de progrès et une bonne recette d'accumulation de fatigue. La récupération s'en trouve compromise, la vraie progression aussi.

S'il vous arrive un jour donné d'être fatigué, allez-y mollo! Vous n'aurez aucune pression sur les épaules et l'objectif sera tout simplement de terminer votre séance en respectant le temps demandé. En course à pied, les journées d'entraînement se suivent, mais ne se ressemblent pas.

Dans des conditions climatiques très difficiles, par grand froid, lors d'une canicule ou sous une pluie torrentielle, il est plus motivant de prévoir dès le début, en matière de temps, l'ampleur maximale de votre effort. Si vous tenez à courir une distance précise, vous serez doublement pénalisé en courant plus longtemps et dans de mauvaises conditions. De plus, vous devrez récupérer dans les jours suivants.

Enfin, calculer son temps, c'est plus pratique. En région peu connue, si vous n'êtes pas familier avec les parcours, choisissez de petites boucles et répétez-les pendant le temps que vous avez prévu accorder à votre séance. Votre volume sera ainsi respecté.

## 4:17 L'ENTRAÎNEMENT PAR INTERVALLES EST-IL ESSENTIEL POUR PROGRESSER ?

**Si vous courez depuis quelques mois sur une base régulière et souhaitez participer à une compétition dans le but d'améliorer votre chrono, l'entraînement par intervalles est un incontournable.**

Tous les athlètes qui ont pour objectif premier de s'améliorer en course à pied doivent s'entraîner par intervalles. C'est le meilleur moyen d'adapter le corps à un niveau de performance supérieur. Ce type d'entraînement doit être bien dosé et exécuté avec rigueur. L'improvisation n'y a pas sa place, sinon il y a risque de surentraînement.

Les entraînements sur route ou sur piste doivent se dérouler sous forme de répétitions et selon les critères suivants :

- le nombre de répétitions à réaliser ;
- la durée de l'intervalle ou la distance précise à franchir ;
- le rythme à adopter à chaque intervalle.

Il existe plusieurs types d'entraînement par intervalles, dont la philosophie et la terminologie varient selon les auteurs. Si vous optez pour un tel entraînement, choisissez un programme adapté à votre niveau et à vos objectifs.

## LA MAGIE DES RÉPÉTITIONS

Cet entraînement par intervalles, ou « fractionné », est une méthode éprouvée depuis plusieurs années et est très populaire auprès des coureurs. Les bienfaits de ce type d'entraînement sont reconnus : il permet d'améliorer l'aptitude aérobie (le système cardiorespiratoire) tout en augmentant la capacité anaérobie (la capacité de fournir un effort court et intense) ainsi que la capacité de récupération.

## LE BON DOSAGE

Le bon dosage d'un programme d'entraînement est un élément clé de la réussite. Dans celui que je propose, vous aurez environ 70 % de course « mollo », soit au rythme R1, celui de l'endurance fondamentale. Les 30 % qui restent, c'est l'intensité. Vous ferez l'expérience d'une gamme de rythmes plus élevés, soit le R2, le R3, le R4 et même le R5, proposée dans le tome 2 de *Courir au bon rythme*.

Ces rythmes ne sont pas les mêmes pour tous. Ils sont adaptés à votre niveau en tant que coureur. De plus, leur dosage est fonction de la durée de votre effort et de la vitesse que vous aurez à soutenir en compétition. En d'autres mots, le mélange des rythmes est différent selon que vous vous entraînez pour un 5 km ou pour un marathon.

Pour les coureurs spécialisés dans le 800 m et le 1 500 m, cette combinaison de rythmes est même très précise. Le rôle de l'entraîneur dans le choix du bon dosage prend ici toute son importance.

### LES AVANTAGES DE COURIR PAR INTERVALLES

En plus d'augmenter le niveau de performance, s'entraîner par intervalles comporte d'autres avantages. Courir plus vite pendant une courte période exige d'adapter sa technique de course au rythme demandé. Apprendre à faire de tels changements aide à gérer ses fins de course ou, selon les circonstances, certaines étapes du déroulement de l'épreuve.

Aussi, avec ces rythmes précis plus rapides, et surtout variés, les séances deviennent moins monotones et passent beaucoup plus vite. Essayez-les sur plusieurs types de surfaces. En groupe, c'est encore plus motivant. Rien de tel que la sensation d'un peloton qui accélère!

## 4:18 QUELLES SONT LES MEILLEURES SURFACES POUR COURIR?

**La course à pied est un sport exigeant pour les muscles et les articulations des membres inférieurs. À chaque foulée, c'est de trois à cinq fois le poids du corps qu'ils doivent supporter, en faisant toujours à peu près les mêmes mouvements, d'où le risque de blessure. Peut-on gérer jusqu'à un certain point les effets de ces mouvements répétitifs? Un des moyens de le faire est de rechercher des surfaces variées pour vos différents parcours d'entraînement.**

Au cours de l'année, il est souhaitable de varier vos séances d'entraînement pour que vous puissiez courir sur tous les types de surfaces: surfaces dures ou douces, stables ou instables, régulières ou non. Vous vous obligez ainsi à varier vos mouvements et vous diminuez le risque de vous blesser.

### LES SURFACES UTILISÉES PAR LES COUREURS

Les surfaces les plus dures comprennent deux incontournables, soit les routes en asphalte et les trottoirs en béton. À l'inverse, par surfaces douces, j'entends la poussière de roche, la terre battue, les aiguilles de pin, l'herbe, le sable et la piste d'athlétisme synthétique. Parmi celles-ci, le sable sec de la plage est un exemple de surface instable, ou moins ferme, et une pelouse de parc ou un sentier en forêt sont des exemples de surfaces irrégulières.

Attention à ces surfaces douces, à effort égal, elles vous forceront à adopter un rythme légèrement plus lent au début. Soyez vigilant, et donnez à votre corps le temps de s'adapter.

## SI POSSIBLE, COURIR SUR DES SURFACES VARIÉES

Familiarisez-vous avec toutes ces surfaces à l'entraînement et ne faites surtout pas l'erreur de courir exclusivement sur des surfaces dures. Une telle habitude vous occasionnera à la longue des problèmes sur les plans musculaire et articulaire. En tête du palmarès des surfaces propices aux blessures, le trottoir de béton. Préférez-lui les routes ou les rues en asphalte (un rappel : sur le côté de la chaussée, face à la circulation et toujours sans écouteurs).

En cas de choix à faire pour une sortie, privilégiez un parcours à la surface douce et stable, en circuit fermé dans un parc, loin de la circulation. Cela vous aidera sur le plan musculaire, sera plus sécuritaire et facilitera votre récupération.

Faites-vous un répertoire de plusieurs parcours à surfaces variées, dont plusieurs surfaces douces. Vous diminuerez le risque de blessure à long terme, surtout si vous êtes débutant ou adepte de très longs parcours.

## À L'APPROCHE DE VOTRE COMPÉTITION

Il est toujours préférable de s'entraîner sur le type de surface sur lequel vous prévoyez courir lors de l'épreuve. Votre but est de reproduire, en état de fatigue, les mêmes sensations que celles que vous allez vivre en compétition.

La meilleure surface pour s'entraîner en vitesse demeure la piste d'athlétisme. C'est un environnement conçu pour courir rapidement et pour faire les séances par intervalles de façon sécuritaire et loin de la circulation automobile. Assurez-vous cependant de bien connaître les règles de la piste pour ne pas nuire aux autres athlètes à l'entraînement.

4:19

# J'AI UN BOULOT PHYSIQUE, DE QUELLE FAÇON DOIS-JE M'ENTRAÎNER?

**Depuis une trentaine d'années, j'ai eu l'occasion d'entraîner des centaines de coureurs de tous les niveaux qui avaient un boulot physique. Je suis toujours impressionné par la motivation de ces personnes déterminées à courir, sans se plaindre, plusieurs kilomètres par semaine, de semaine en semaine.**

Ces coureurs, je les surnomme «les forces de la nature». Travailleurs des métiers de la construction, livreurs, éboueurs, monteurs de ligne, fermiers... J'ai entraîné des gens de tous les métiers! Et je peux confirmer que les athlètes qui ont un métier plus exigeant physiquement en ressentent les effets sur leur pratique.

Peut-on atteindre ses objectifs en compétition malgré les exigences d'un travail plus physique? Je crois que oui. Au fil des années, j'ai côtoyé plusieurs athlètes d'élite qui étaient dans cette situation et qui atteignaient malgré tout un niveau très respectable sur la scène provinciale.

Si toutefois vous avez l'ambition d'être un jour parmi les 100 meilleurs au monde dans votre discipline, alors là, c'est différent! Cessez de travailler pour vous consacrer entièrement à votre sport. Soyons clairs: c'est un emploi à temps plein que de se maintenir à un tel niveau. Par exemple, aller chercher un maximum de récupération après chaque séance d'entraînement ne se fait pas autrement qu'en étant libre de toute autre contrainte professionnelle.

## LA RÉCUPÉRATION EST LA CLÉ DE LA RÉUSSITE

Quelle est la meilleure façon de s'entraîner malgré un boulot physique? Pour la grande majorité des gens, il est suffisant, selon moi, de courir à raison de quatre fois par semaine, en incluant deux séances en semaine avec intensité. Les trois jours de repos en semaine sont très importants pour assurer une meilleure récupération.

Si vous vous entraînez pour un marathon et que vous vous situez sous les 3 h 59 min, ajoutez une cinquième journée d'entraînement au besoin, selon votre niveau de fatigue. Songez à consacrer cette cinquième séance à un sport cardio sans contact au sol, comme la natation ou le vélo. Faites du trois pour un. J'ai pour règle générale qu'à effort égal, 60 minutes de vélo ou de natation valent 20 minutes de course à pied.

## ÊTRE À L'ÉCOUTE DE SON CORPS EN TOUT TEMPS

Si votre boulot exige des efforts, je vous recommande d'être à l'écoute de votre corps en tout temps. Drôle de conseil à donner à un coureur, mais oui, profitez des pauses pour vous asseoir. Si vous avez de la fatigue accumulée, vous pouvez supprimer une séance d'intensité au programme ou encore déplacer une séance sans intensité au lendemain.

Le mot clé est toujours la récupération, et cela s'applique aussi aux gens qui ont un travail moins exigeant physiquement. Travailler à temps plein signifie souvent de nos jours faire face à une surcharge constante, avec des périodes de pointe en prime. Pour que votre pratique de la course à pied demeure un loisir et ne devienne pas une source additionnelle d'épuisement, en cas de fatigue, soyez à l'écoute de vous-même: sachez être flexible dans votre programme et récupérez. Assurez-vous, durant vos journées de repos, de ne pas ajouter une activité sportive avec intensité et de maintenir une bonne hygiène de vie pour assurer une récupération maximale.

# 5:00

## COURIR
## À TOUS LES ÂGES

# À QUEL ÂGE MON ENFANT PEUT-IL COMMENCER À S'ENTRAÎNER ?

**Qui ne se réjouit pas des premiers pas de son enfant, vers l'âge d'un an? L'étape suivante, courir, ne tarde pas... et cela vaut aussi pour les parents, obligés de rattraper le petit. Les enfants aiment courir et s'amuser et ce sont leurs jeux qui déterminent la durée et l'intensité de leur effort, s'il en est un. Convient-il d'encadrer une activité aussi spontanée?**

D'emblée, ma réponse est oui, à condition d'adopter une approche ludique pour les plus jeunes. Selon mon expérience, un tel «entraînement» peut aussi répondre à une certaine demande. Voyons pourquoi.

En 2007, nous avons eu l'idée, chez Les Vainqueurs, de mettre sur pied une section jeunesse pour les 6 à 13 ans, à l'intention des enfants de nos membres et aussi des jeunes des arrondissements de l'est de Montréal. L'offre : une activité axée sur l'initiation à l'athlétisme sous toutes ses formes, course, sauts et lancers, pendant que maman et papa font de leur côté leur entraînement en groupe du mardi.

L'idée a fait son chemin. Devant la demande croissante, nous avons même dû élargir notre grille pour accueillir notre jeune clientèle dès l'âge de 4 ans. De quoi en faire sourciller plusieurs! Pour ma part, j'irai jusqu'à affirmer que c'est un âge idéal pour commencer à jouer, je dis bien jouer, à l'athlétisme!

Ainsi, l'entraînement du mardi pour ces jeunes est pratiquement une soirée de jeux en groupe, tous plus amusants les uns que les autres et orientés vers le développement de leur motricité et de leurs habiletés. Hélas, peu d'autres clubs au Québec, à ma connaissance, offrent de tels services à une clientèle aussi jeune.

On pourrait débattre de certaines recherches récentes suggérant que les enfants de la maternelle qui font des sports parascolaires développent plus d'autodiscipline et de concentration. Quoi qu'il en soit, pour moi, l'importance de bouger et de faire du sport dès le jeune âge tombe sous le sens.

## À QUEL ÂGE DOIT-ON COMMENCER À COURIR EN COMPÉTITION ?

De 4 à 13 ans, les jeunes peuvent participer de façon très encadrée à des minicompétitions d'athlétisme adaptées à leur groupe d'âge. Il est essentiel, par ailleurs, d'évacuer complètement toute notion de rang ou de résultat final, tant sur le plan de la valorisation de l'enfant que sur celui de l'évaluation de sa progression.

Il arrive ainsi que certains jeunes de ce groupe d'âge soient très motivés. L'encadrement d'un entraîneur est plus que jamais nécessaire dans ces cas pour modérer l'entraînement, faire un choix réaliste d'épreuves en compétition et relativiser les performances. Un résultat exceptionnel chez un jeune de moins de 14 ans n'annonce en rien une future grande carrière d'athlète. J'en ai vu plusieurs performer ainsi et plafonner par la suite, puis disparaître de la circulation. À l'inverse, la grande majorité de nos champions actuels chez les séniors n'ont commencé l'athlétisme qu'après 14 ans.

Un petit conseil : évitez dans la mesure du possible d'entraîner votre propre enfant. À long terme, même un grand talent peut être compromis par un excès d'enthousiasme du parent, compréhensible sans doute, mais dont le corollaire est parfois un manque d'objectivité.

# COURIR EN FAMILLE, POURQUOI PAS?

**Au fil des années, au gré des victoires et des échecs, la course à pied vous fera vivre des émotions et accumuler des souvenirs. Si vous en faites une activité familiale, vous vous accordez des moments privilégiés avec les êtres qui vous sont chers. Vos souvenirs de course n'en seront que plus précieux.**

Je me souviens très bien de la première course à vie de ma fille Janie, à Saint-Esprit, en 1993, alors que je l'avais accompagnée sur un parcours de 1 km. À l'époque, elle n'était âgée que de 3 ans et 11 mois et le jeune papa que j'étais ne réalisait pas qu'il gravait à jamais un moment magique dans sa mémoire. Ma seule déception cependant, c'est que Janie n'en a aucun souvenir.

Vingt et un ans plus tard, nous avons donc décidé de revivre notre aventure en participant ensemble au 5 km du marathon de Montréal. Pour ma part, j'étais heureux de pouvoir courir de nouveau avec ma grande fille. D'accord, d'accord, il a fallu que Janie modère un peu pour permettre à son vieux père de se rendre au fil d'arrivée. Mais ce fut loin d'être une déception parce que cette fois-ci, Janie se souvient!

## CES ENFANTS QUI POUSSENT, ET QUI NOUS POUSSENT

Mireille Paiement et Jean-Pierre Villeneuve, tous deux Vainqueurs, sont aussi parents de Vainqueurs. S'ils en sont là, c'est parce que la nouvelle génération, selon eux, pousse dans le dos de la précédente. Allez les parents, à l'entraînement!

Ayant déniché un jour un club d'athlétisme pour son fils Vincent, 13 ans, qui désirait troquer le ballon de football pour les souliers de course, Mireille s'est donc mise à le voyager et à faire le pied de grue pendant les entraînements, non sans remarquer un groupe d'adultes à côté qui semblait avoir du plaisir sur la piste.

Prise d'informations sur place, conciliabule avec Jean-Pierre et la cadette de 10 ans, courte période d'essai au club, la suite appartient à l'histoire. Aujourd'hui, la petite famille active est toujours membre du club.

### COURIR EN FAMILLE, ÇA RAPPROCHE

Pour Hugo Champagne, courir avec sa fille de 13 ans est toujours un moment propice aux échanges de qualité. Une belle complicité père-fille qui provoque même parfois le sourire des coureurs croisés sur le parcours.

Courir en famille, c'est avoir un intérêt et un vocabulaire en commun. Rythme, volume, intervalles, repos et longue sortie prennent désormais un nouveau sens et nous rapprochent de nos ados...

Que ce soit pour un événement ou une destination vacances, les horaires sont harmonisés. On part tous ensemble et on revient tous ensemble. Ah! New York au pas de course! Central Park qui nous attend...

Votre enfant ne court pas? Proposez-lui de vous suivre à vélo pendant votre entraînement. Il court? Profitez-en, accompagnez-le pendant qu'il en est encore temps. Parce que tôt ou tard, vous devrez vous attendre à vous faire dépasser! Il faudra espérer qu'il consente à courir à votre rythme à l'occasion.

Tiens, ça me rappelle un 5 km que j'ai couru, il n'y a pas si longtemps. C'était avec ma fille Janie...

# COMMENT MOTIVER MON ADOLESCENT À BOUGER? 5:03

Faire bouger un adolescent représente de nos jours un énorme défi pour certains parents. Pourtant, l'adolescence, ce passage obligé, n'est pas impossible à concilier avec une pratique sportive assidue. Quelles sont les solutions pour que votre adolescent s'intéresse au sport sur une base régulière?

Comme entraîneur, je remarque d'année en année que de recruter des jeunes de 12 à 17 ans s'avère un véritable défi. Les convaincre de se lancer dans la pratique d'une activité sportive... «encadrée»? Bonne chance!

Il est beaucoup plus facile d'aller chercher de nouveaux adeptes chez les 4 à 11 ans et chez les adultes, dès 18 ans en fait. Malgré ce constat, nous avons décidé de ne jamais abandonner et de redoubler d'efforts vis-à-vis des ados.

## SI L'ENTRAÎNEUR EST *COOL*, C'EST DÉJÀ UN BON DÉBUT!

À cet âge, l'approche de l'entraîneur est très importante, tant avec les garçons qu'avec les filles. De deux choses l'une, et on la constate rapidement : l'ado aime ou n'aime pas l'entraîneur. Ce dernier doit donc s'adapter à l'adolescent en fonction de son tempérament et de son penchant compétitif ou récréatif.

En 1981, je me suis fait prendre au jeu en acceptant le défi d'entraîner un groupe de jeunes filles pour une activité parascolaire d'athlétisme de l'école secondaire Marguerite-De Lajemmerais. Cela a été l'élément déclencheur qui m'a permis de découvrir, à l'âge de 24 ans, ma passion pour l'entraînement. Elle dure depuis ce temps.

Qu'ai-je donc appris? Tout en bâtissant cette bonne relation avec ses athlètes, l'objectif initial de l'entraîneur est simple : s'assurer que ses jeunes demeurent actifs, c'est-à-dire les faire bouger de trois à quatre fois par semaine tout au plus. Les entraînements doivent donc être agréables et pas trop contraignants au début.

Par la suite, le programme évolue en fonction du talent et de la motivation de chacun, mais il ne faut pas oublier qu'on en est encore à apprendre la base. Inculquer des notions de discipline personnelle, de motivation et de persévérance prend beaucoup de place, autant sinon plus que la poursuite des objectifs de performance.

L'athlète est aussi encouragé à participer à la vie sociale du club, en *gang*, en dehors de l'entraînement. Être parmi ses amis est un élément important et constitue une excellente source de motivation, et même une raison pour le jeune de demeurer membre du club.

Dernier point, l'entraîneur doit rester en communication avec les parents et développer avec eux, si possible, une certaine complicité avec le temps. Cette relation lui permettra d'avoir des réponses à ses interrogations.

## LE RÔLE DES PARENTS EST IMPORTANT

Intéressez-vous à l'activité sportive de votre ado et soyez à l'affût d'une activité qui pourrait l'allumer, voire devenir pour lui une passion. N'hésitez pas à lui demander ce qu'il aime et à l'encourager à se lancer. L'inscription faite et la saison amorcée, valorisez ses progrès. Ce sont les fruits de ses efforts!

À l'adolescence, on constate que les parents sont beaucoup moins présents aux entraînements que chez les plus jeunes. C'est un peu normal, et j'irais jusqu'à dire que c'est peut-être ce que l'ado préfère. Après tout, il est dans son espace, avec sa *gang*! Malgré tout, aller le reconduire et assister (c'est différent) aux compétitions sportives est toujours une belle marque d'intérêt de votre part. Il l'appréciera.

Si votre ado accepte de s'engager dans la pratique d'un sport, il est à espérer qu'il persévérera. Ça n'arrive pas à tout coup, mais comme parent, il faut être patient... Un jour, votre investissement sera payant!

# COMMENT EFFECTUER UN RETOUR RÉUSSI APRÈS DES ANNÉES SANS COURIR ?

**Bon nombre de coureurs ont du mal à évaluer précisément leur niveau de forme actuel et à doser leur entraînement en fonction de celui-ci. C'est le cas d'anciens coureurs qui font un retour après quelques années d'arrêt. Comment se remettre à niveau sans trop en payer le prix ?**

D'emblée, je conseille à ces anciens coureurs d'obtenir le feu vert d'un professionnel de la santé avant de commencer à s'entraîner sérieusement, surtout s'ils sont inactifs ou s'ils sentent que le poids des années commence... à leur peser. Évitez les mauvaises surprises qui pourraient vous forcer à interrompre votre activité, ou pire, hypothéquer votre santé.

Même en l'absence de problème de santé sérieux, gardez à l'esprit que la course à pied est un sport très exigeant, entre autres sur les plans articulaire et musculaire. Par exemple, à chaque foulée, c'est trois à cinq fois le poids du corps que supportent les articulations des membres inférieurs. Vous le sentirez après une longue sortie de course à pied.

Si vous êtes actif, possédez un minimum de forme physique et ne souffrez d'aucun problème de santé, un petit deux heures modéré de vélo ou de ski de fond ne vous causera pas trop de difficulté. Mais un petit deux heures de course à pied, alors là, c'est autre chose...

## CHANGER LA CASSETTE DANS SA TÊTE

Autrefois, le coureur que vous étiez n'était pas dépourvu de talent. Cela faisait partie de vos gènes et vous étiez à l'aise dans l'effort et la performance. Depuis, la vie a fait en sorte que le sport a disparu de votre horaire. Au quotidien, vous êtes tout de même demeuré une personne active physiquement. Et voilà que l'envie vous prend de recommencer à courir comme avant. Vous êtes réaliste et vous ne vous imaginez pas reprendre là où vous avez laissé, mais vous espérez tout de même retrouver la forme, et vite !

Avant de recommencer, il faut changer cette cassette dans sa tête. Un retour trop rapide à l'entraînement après plusieurs années d'inactivité vous occasionnera certainement quelques courbatures, ce qui est normal, mais peut-être aussi des blessures. Résultat, un nouvel arrêt, obligatoire celui-là. Ce n'est pas le but recherché !

## POUR UN RETOUR RÉUSSI, LA MÉTHODE TERRY GEHL

Alors, cette cassette ? Prenons l'exemple de Terry Gehl, un de mes meilleurs athlètes. Excellent coureur lorsqu'il était junior, Terry décida au cours de la trentaine de reprendre l'entraînement et de faire un retour à la compétition.

Pendant une période d'un an, imaginez, il s'est astreint à ne courir que trois fois par semaine à raison de 20 minutes maximum par séance. Il voulait prendre le temps nécessaire pour permettre à son corps de s'adapter. S'assurer que tous les morceaux tiennent en place, quoi !

Un exercice de patience payant, puisque, par la suite, Terry connut de très bons résultats sur la scène provinciale et fut, à l'aube de la quarantaine, l'auteur d'un marathon de 2 h 27 min.

## MARCHER AVANT DE COURIR

Bon, vous n'êtes pas Terry, et vous n'avez pas vraiment l'intention de le concurrencer au marathon. Mais vous pouvez adopter sa stratégie d'approche prudente.

Alors, en marche ! Commencez ainsi et si, au bout de quelques semaines, vous êtes en mesure de marcher rapidement de 30 à 45 minutes à raison de trois fois par semaine, sans trop de difficulté, vous venez de franchir une première étape importante. Vous avez à partir de maintenant le minimum requis pour passer à l'étape suivante, laquelle aura pour principe d'alterner la marche et la course.

Au début de cette deuxième étape, vous allez donner priorité à la marche lors de vos séances d'entraînement. Par exemple, trois minutes de marche pour une minute de course. Au fil des semaines, vous inverserez progressivement ce rapport, pour en arriver à une minute de marche pour trois minutes de course. Le but ? En augmentant graduellement la durée de ces intervalles de course, vous serez en mesure de courir un total de 10 minutes sans arrêt.

D'une durée d'au moins huit semaines, la troisième et dernière étape de votre remise en forme vous amènera à courir jusqu'à 20 minutes continues par séance, trois fois par semaine. À ce stade, vous serez en mesure d'entreprendre un programme d'entraînement plus spécifique en vue de terminer un 5 km en compétition.

Mais votre objectif personnel est peut-être tout simplement de maintenir la forme sans nécessairement participer à une compétition organisée. Courir trois ou quatre fois par semaine pendant 20 minutes vous procurera des bénéfices le reste de votre vie.

Peu importe votre choix, en courant 20 minutes sur une base régulière, vous êtes devenu (ou redevenu !) un vrai coureur.

## 5:05 COMMENT ADAPTER SON ENTRAÎNEMENT APRÈS 50 ANS ?

**On a beau se passionner pour la course à pied, ce sport peut devenir exigeant à mesure qu'on vieillit. La clé lorsqu'on arrive à ce stade, c'est la récupération, élément à surveiller pour protéger sa santé et maintenir sa motivation.**

Comment demeurer motivé à l'entraînement en sachant très bien que vos meilleures années sont derrière vous ? Clairement, il vous faut modifier votre approche. Il vient un temps où vos performances passées ne peuvent plus vous servir de standard ou de temps à battre. Par contre, vous avez des acquis : une bonne condition physique, des connaissances, de l'expérience et, pourquoi pas, un appétit pour la victoire qui refait surface quand vous vous y mettez. Ce sont là des atouts pour l'avenir. D'une certaine façon, le passé peut en être garant !

## ADAPTEZ VOTRE ENTRAÎNEMENT

Votre attitude et la façon dont vous aborderez vos objectifs sont certes des éléments cruciaux à ce nouveau stade de votre carrière de coureur. Mais vous devez avant tout vous donner des conditions favorables. Pour ce faire, vous devez accepter une évidence : la différence entre le coureur dans la vingtaine et celui qui a atteint la cinquantaine, c'est la durée de la récupération après l'effort.

Ajustez votre programme d'entraînement en conséquence. Réduisez le nombre de séances en intensité que vous faites par semaine. Par exemple, si vous pratiquez des intervalles trois fois par semaine, passez à deux. Veillez en même temps à maximiser votre récupération. Chaque semaine, assurez-vous d'espacer vos entraînements en intensité de 72 heures au lieu de 48, comme avant. Par exemple, si vous faisiez auparavant de l'intensité les mardis, jeudis et samedis, optez désormais pour le mardi et le samedi seulement.

Dans la cinquantaine, je vous recommande de ne faire qu'une compétition par mois. Vous vous rendrez compte assez vite qu'il vous sera difficile sur le plan de la récupération de courir deux week-ends de suite au maximum de votre capacité et de maintenir votre niveau de performance. En espaçant vos compétitions, vous serez en mesure de bénéficier d'une récupération maximale. Vous atteindrez plus facilement vos objectifs.

## COURIR ET VIEILLIR EN BEAUTÉ

Mettez votre ego de côté ! Surtout si vous avez déjà été un grand champion. Ou alors, un petit truc, comparez-vous donc avec les coureurs ou les sportifs de votre groupe d'âge. Vous serez davantage en contact avec la réalité et cela vous permettra de demeurer motivé longtemps. Tout le monde avance en âge en même temps, ou à peu près! Si vos performances ont diminué avec les années, vous vous rendrez compte que vous n'êtes pas «si pire que ça», après tout! En utilisant les bons repères, ceux qui s'appliquent à vous, vous verrez, les exploits seront toujours possibles.

Pour plus de plaisir, donnez-vous tout de même des objectifs réalistes, en évitant de trop mettre l'accent sur un chrono précis ou de vouloir battre à tout prix votre marque personnelle. Pourquoi ne pas participer à une compétition à l'occasion en accompagnant un ami ou un membre de votre famille pour l'aider à réaliser son meilleur chrono? Votre geste sera apprécié et vous en tirerez vous aussi de la satisfaction.

## LES BIENFAITS COMPENSENT LES MÉFAITS

Oui, il vous arrivera parfois de vous réveiller avec quelques courbatures ou d'avoir les jambes raides après une séance un peu trop intense la veille. C'est normal et, à moins d'un problème particulier, ça passe, bien sûr. Mais apprendre à gérer la décroissance ne se limite pas à ça, surtout si vous courez depuis longtemps et que vous constatez que votre niveau de performance diminue tranquillement d'année en année.

Attitude! Courir en vieillissant, ne serait-ce que pour conserver son poids santé, comporte son lot d'avantages. Être en forme dans la cinquantaine, c'est un cadeau de la vie, c'est comme avoir 20 ans en moins sur les épaules. Il est toujours agréable d'être en mesure de monter une série d'escaliers sans être essoufflé!

Plus jeune, vous avez sans doute aussi connu les bienfaits de la course à pied sur le plan mental. Ça continuera, avec en plus un sentiment de fierté d'être demeuré ainsi actif et de faire partie d'un groupe de coureurs, si tel est votre choix.

Peu importe votre âge, la course à pied demeure un sport qui vous permet d'atteindre un meilleur niveau de forme rapidement et de vous conditionner pour la pratique d'autres sports. Bref, c'est un sport qui vous offre une meilleure qualité de vie.

# Y A-T-IL UN ÂGE LIMITE POUR S'ATTAQUER À UN GRAND DÉFI ?

**Le meilleur moment pour s'attaquer à un grand défi, votre premier marathon par exemple, c'est au terme d'un programme d'entraînement à votre mesure que vous aurez eu le temps d'exécuter rigoureusement. Mais au-delà de cette évidence, je vous suggère cet autre moment propice, qui coïncidera idéalement avec le premier : lorsque survient dans votre vie un changement de décennie.**

J'ai à peine besoin de vous le suggérer ! Comme entraîneur, il m'arrive régulièrement de côtoyer des coureurs qui me confient discrètement leur grand projet, soit de s'entraîner pour relever un nouveau défi, car dans quelques mois, ils auront à franchir la dure barrière psychologique des 30, 40, 50 ou 60 ans ! Ils cherchent donc à réaliser un exploit personnel pour immortaliser cet événement historique... ou pour l'exorciser !

En vous éloignant tranquillement de votre jeunesse, pourvu que vous ayez une bonne préparation et que votre objectif soit avant tout réaliste et réalisable, l'accomplissement d'un grand défi au tournant d'une décennie, c'est possible. Mais en quoi le moment est-il propice ?

## LA COURSE À PIED EST UN SPORT DANS LEQUEL NOUS AVONS HÂTE DE VIEILLIR !

Si vous faites de la compétition depuis quelques années, vous savez que dans le monde de la course à pied, on n'a pas vraiment peur de vieillir. Le changement de décennie est même souvent le bienvenu, parce qu'en changeant de catégorie d'âge, on augmente automatiquement ses chances de gravir les échelons vers le haut du classement. Pas étonnant que les podiums soient garnis de jeunes quadragénaires, quinquagénaires et sexagénaires... Tant qu'à relever un défi, optimisez donc votre classement. C'est le fun être champion à 50 ans !

Si, après mûre réflexion, votre projet vous apparaît un peu trop ambitieux et que vous craignez la contre-performance, vous avez deux options. Révisez à la baisse votre objectif initial (en matière de chrono ou de distance, par exemple) ou accordez-vous une année supplémentaire d'entraînement. Après tout, en principe, vous atteindrez votre objectif au cours la même décennie !

Une autre bonne raison de faire coïncider la poursuite d'un rêve avec un changement de tranche d'âge : avoir enfin la possibilité d'atteindre un standard qui nous a échappé jusque-là. Le standard par groupe d'âge, c'est la note de passage pour être admis à des événements de rêve comme le célèbre marathon de Boston. Chaque année, combien de coureurs ratent de quelques minutes seulement ce fameux standard adapté par tranches de cinq ans ? Bonne nouvelle, il y a toujours de l'espoir, tant qu'on vit !

## LES RECORDS SONT FAITS POUR ÊTRE BATTUS… MÊME EN VIEILLISSANT

Bien sûr, il n'y a pas que le marathon de Boston pour souligner avec éclat le tournant de la quarantaine ou de la cinquantaine. Pourquoi ne pas lorgner du côté des meilleures performances de son club, par exemple ? Au club Les Vainqueurs, nous avons mis sur pied, il y a une trentaine d'années, un tableau des records en deux volets, route et piste, chez les hommes et les femmes, par catégories d'âge de cinq ans.

Ce tableau des records est une excellente source de motivation pour les membres du club. Bon, il y a certains records qui sont vieux de 30 ans. Ils sont durs à battre ! Mais d'autres sont régulièrement mis à jour. Bonne raison de s'entraîner un peu plus sérieusement… et de bien vieillir !

# 6:00

## LES ERREURS
## À ÉVITER

# QUELLES SONT LES ERREURS LES PLUS FRÉQUENTES CHEZ LE DÉBUTANT?

**Tous les coureurs d'expérience ont vécu ce passage obligé du débutant. Les trois premiers mois de la carrière d'un coureur sont une période déterminante pour la suite. C'est l'occasion de se connaître un peu plus et de franchir certaines étapes de façon progressive. Au fil des séances d'entraînement, le nouveau coureur pourra apprendre à reconnaître et à corriger certaines erreurs qui pourraient freiner son élan et sa motivation.**

Lorsqu'elles sont commises, plusieurs erreurs du coureur débutant sont dues à un excès de zèle et d'enthousiasme. C'est parfaitement normal. Si vous avez très peu d'expérience en course à pied ou si vous n'avez jamais couru régulièrement, il est préférable de suivre dès le départ un programme d'entraînement adapté à votre situation. Aussi, demander conseil à des coureurs qui sont déjà passés par là n'a pas de prix.

## QUELS SONT LES PIÈGES?

Les erreurs les plus fréquentes chez le débutant? **Courir trop vite. Courir trop souvent. Courir trop longtemps.** Que faire pour éviter ces pièges?

## COURIR TROP VITE

Courir trop vite et de façon improvisée n'est pas la meilleure option pour améliorer son niveau de forme, car tôt ou tard, vous «frapperez un mur» : blessure, épuisement, plafonnement, voire découragement. Un rythme de course choisi en fonction de votre niveau de forme vous permettra de progresser de façon plus sécuritaire à court, à moyen et à long termes.

Quelle est la bonne vitesse pour courir ? Au début, il est souvent difficile de déterminer un rythme précis à respecter, certains débutants obtenant une amélioration notable de leur condition physique dès les premières séances d'entraînement, après quelques semaines. Le rythme idéal est de courir sans cet essoufflement trop prononcé qui vous empêcherait de parler en courant. Mais il est normal d'être tout de même légèrement essoufflé ! Au fil des séances, vous serez de plus en plus en mesure de courir au bon rythme, juste au seuil de l'essoufflement.

## COURIR TROP SOUVENT

L'erreur qui consiste à courir trop souvent, même tous les jours, est très fréquente chez le débutant. On a beau vouloir s'améliorer à tout prix et rapidement, il faut laisser à son corps le temps nécessaire pour s'adapter musculairement à cette nouvelle activité physique, très exigeante. À chaque foulée, les muscles et articulations doivent supporter au moins trois fois le poids du corps, d'où l'importance d'être doublement vigilant par rapport aux blessures.

Quelle est la fréquence d'entraînement idéale ? Pour un débutant, courir trois fois par semaine durant les trois premiers mois est suffisant. Cette fréquence est même importante en ce qu'elle va vous permettre de bien récupérer entre chacune de vos sorties. Si la pause de 48 heures sans courir dépasse les limites de votre patience, profitez-en donc pour faire une autre activité sportive sans impact au sol, du vélo ou de la natation, par exemple.

Certaines études mentionnent qu'il vaut mieux courir plus souvent et moins longtemps pour éviter les blessures. En retour, cette pratique demande de consacrer un peu plus de temps à votre activité et de diminuer le nombre de jours sans courir. Je suggère plutôt une fréquence de quatre séances par semaine. Cela va vous aider à maintenir votre motivation sur le plan de la régularité dans le temps.

## COURIR TROP LONGTEMPS

Il peut aussi être tentant de courir trop longtemps, dans l'espoir de battre son record de durée. Au début, il est intrigant de savoir pendant combien de minutes on peut courir sans arrêt. Courir le plus longtemps possible pour connaître sa capacité et établir une nouvelle marque personnelle, nous sommes tous passés par là! Mais il est encore trop tôt dans votre jeune carrière pour tenter ce genre d'exploit. C'est vraiment jouer avec le feu et vous risquez de vous brûler.

La durée idéale d'une séance d'entraînement, lorsque vous êtes débutant, est établie en fonction de vous, essentiellement. Vous avez forcément un bagage différent de celui de votre voisin : vos antécédents sportifs, votre âge, votre hérédité et votre niveau de forme physique actuel. Le programme d'entraînement que vous aurez choisi devra être adapté à votre niveau de forme et tenir compte de votre réalité.

# APPRENDRE À MARCHER RAPIDEMENT AVANT DE COURIR

Dans le tome 1 de *Courir au bon rythme*, vous trouverez trois programmes d'entraînement adaptés aux débutants en fonction de leur niveau respectif. Ils vous aideront à choisir le bon moment pour passer résolument de la marche à la course. Si vous êtes en mesure de marcher rapidement une moyenne de 30 à 45 minutes à raison de trois fois par semaine, durant huit semaines, vous pourrez alors passer à la prochaine étape. Elle consistera à entreprendre un programme d'entraînement marche et course en alternance dans le but de pouvoir courir un total de 10 minutes de suite au bout d'une période de huit semaines.

# QUELS SONT LES ÉLÉMENTS À SURVEILLER EN CAS DE FATIGUE ?

**Les coureurs qui s'entraînent régulièrement connaissent à l'occasion des périodes de fatigue. Même si cela est normal, il est important d'en connaître la cause. Les trois pistes à explorer en cas de fatigue sont l'entraînement, le sommeil et l'alimentation.**

Maintenir de bonnes habitudes de vie est une priorité à respecter en tout temps. Si vous trichez une fois, ce n'est pas grave ! Mais ayez cette certitude : plus votre niveau sera élevé, plus vos bonnes habitudes de vie auront de l'importance dans l'atteinte de vos objectifs.

## L'ENTRAÎNEMENT

Un bon dosage de l'entraînement est primordial. La moindre improvisation peut vous mener directement au surentraînement. Pour accorder à votre corps un maximum de temps de récupération entre les séances, il faut donc éviter l'erreur de courir trop longtemps, trop souvent ou trop vite. La pratique intensive d'un autre sport cardio pendant les jours de repos prévus au programme peut aussi être la source du problème.

D'autres causes de fatigue à l'entraînement peuvent évidemment être liées au travail physique ou au stress psychologique au boulot ou à la maison. Il y a des choses qu'on ne contrôle pas toujours.

Mais quand il est possible de modérer votre entraînement, épargnez-vous le désagrément du mur qui frappe et du repos forcé qui s'ensuit. Avis à tous, il faut donc éviter la tentation d'ajouter des extra à son entraînement !

## LE SOMMEIL

La qualité du sommeil est très importante pour bien récupérer. Si vous rognez sur vos heures de sommeil en semaine, vous allez assurément la terminer avec une fatigue accumulée. Si vous êtes de ceux qui ne peuvent se lever le matin sans l'aide du réveil, c'est un indice que vous manquez de sommeil.

Entraînement régulier et manque de sommeil chronique ne font pas bon ménage. Les athlètes de haut niveau font du sommeil une priorité dans leurs habitudes de vie. Ceux qui s'entraînent deux fois par jour vont même ajouter une sieste à l'horaire de la journée.

Voilà qui n'est pas à la portée de tout le monde, mais pour favoriser la récupération, quelques règles s'imposent : évitez les séances d'entraînement trop intenses en soirée, prenez un repas léger le soir, relaxez, lisez avant de vous coucher, dormez à des heures régulières.

## L'ALIMENTATION

Votre carburant, votre alimentation, est ce qui vous donne l'énergie nécessaire pour atteindre vos objectifs. Si vous êtes fatigué, il est d'autant plus important que votre alimentation soit équilibrée.

Les modèles alimentaires sont nombreux chez les coureurs et il ne faut surtout pas tomber dans le panneau de la fameuse recette miracle qui vous fera performer davantage. En alimentation, il n'y a pas de modèle unique, et chaque coureur doit trouver sa propre façon de s'alimenter selon ses besoins.

Il est toujours préférable de faire vos essais et erreurs durant les périodes d'entraînement. Donnez-vous le temps nécessaire pour peaufiner vos choix alimentaires avant les rendez-vous importants.

## SI VOUS ÊTES TOUJOURS FATIGUÉ...

En terminant, si vous êtes toujours fatigué après avoir été très rigoureux dans votre entraînement, votre sommeil et votre alimentation, songez à aller consulter votre médecin. Votre fatigue a une cause, il faut la connaître !

# QUELS SONT LES PIÈGES DU SURENTRAÎNEMENT ?

**Le surentraînement se produit lorsqu'il y a un déséquilibre entre l'entraînement et la récupération. Une grande fatigue habite alors le coureur et l'empêche de s'entraîner convenablement. Il est important de comprendre les causes de cet état et de savoir en détecter rapidement les symptômes.**

Déterminer les causes d'un surentraînement, ce n'est pas toujours évident. Avant de remédier à un mauvais dosage de l'entraînement ou de changer ses habitudes de vie, encore faut-il être capable de se rendre compte qu'il y a quelque chose qui cloche.

C'est d'abord une question d'attitude. Il faut être à l'écoute de son corps et être en mesure de distinguer la fatigue normale à la suite d'un effort de la grande fatigue, celle reliée au surentraînement.

## LES SIGNES AVANT-COUREURS À SURVEILLER

Une baisse marquée du niveau des performances en compétition est un élément assez révélateur pour le coureur, surtout s'il a une bonne feuille de route et a donc une idée assez précise de ses capacités habituelles.

Les indices du surentraînement peuvent aussi être relevés au quotidien, et c'est sans doute dans ce contexte qu'il vaut encore plus la peine d'être vigilant. Par exemple, s'entraîner normalement et vivre une baisse d'énergie soudaine et inexpliquée ou avoir tout le temps les jambes lourdes sont des signes avant-coureurs. Est-il prudent de se rendre jusqu'en compétition pour confirmer ses doutes ?

Posez-vous aussi des questions si vous vous rendez compte que votre rythme cardiaque est un plus élevé que d'habitude à votre réveil et durant la journée, ou encore durant votre séance d'entraînement. Éprouvez-vous un manque de motivation ou d'entrain, une sorte de fatigue mentale, un manque de concentration dans la vie de tous les jours ? Même une baisse de l'appétit ou une difficulté à vous endormir peuvent être reliées au surentraînement, en plus de nuire à une bonne récupération entre les séances.

## LES PRINCIPALES CAUSES DU SURENTRAÎNEMENT

Pourquoi cela se produit-il ? Les causes habituelles sont généralement bien connues, mais il n'est pas toujours facile de mettre le doigt dessus quand il s'agit de soi. Faites une réflexion et discutez-en profondeur avec votre entraîneur et, au besoin, avec un professionnel de la santé. Posez-vous franchement ces questions :

- Votre charge d'entraînement est-elle excessive ? Un volume et une intensité trop élevés sont un cocktail idéal pour « frapper un mur ».

- Avez-vous fait trop de compétitions rapprochées les unes des autres ces derniers temps ? Le manque de récupération que cela peut provoquer est la formule parfaite pour vivre les effets du surentraînement.

- Manquez-vous de sommeil ou vivez-vous des périodes fréquentes d'insomnie ? Encore là, ce n'est pas la meilleure recette pour obtenir une récupération complète.

- Souffrez-vous de problèmes d'ordre alimentaire, d'excès incontrôlés ou de certaines carences nutritives, par exemple ? Cela peut être un élément déclencheur.

- Vivez-vous un stress psychologique en dehors de l'entraînement, par exemple dans votre vie personnelle ou professionnelle ?

- Un problème de santé non détecté peut aussi vous mener directement au surentraînement. Faites-vous un bon suivi sur ce plan ?

## DES PISTES DE SOLUTION

Surveillez votre mode de vie en tenant compte de trois éléments fondamentaux, soit l'alimentation, le sommeil et l'entraînement.

Bien dosés, ils favoriseront une bonne récupération au fil des semaines, à mesure que vous progresserez dans votre programme.

Respectez à la lettre votre programme d'entraînement pour ce qui concerne la fréquence, le volume et l'intensité. Si vous êtes toujours fatigué, il sera important d'apporter les ajustements qui s'imposent en réduisant en priorité l'intensité et, ensuite, si nécessaire, le volume.

Vérifiez, au cours de la saison, si vos objectifs de compétition sont toujours réalistes, selon votre niveau de forme actuel. Si vous avez le sentiment que non, il est préférable de réviser vos objectifs de performance à la baisse, et même vos distances de compétition, en fonction du temps que vous êtes prêt à accorder à votre entraînement.

Lorsqu'on s'entraîne sur une base régulière, il est normal de vivre des épisodes de fatigue, mais si après avoir appliqué les conseils précédents à la lettre, votre niveau de fatigue tarde à diminuer, n'hésitez pas à consulter votre médecin.

Voir aussi 6:02 (page 135), *Quels sont les éléments à surveiller en cas de fatigue?*

## COMMENT ÉVITER LES BLESSURES ?    6:04

**La blessure est un passage presque obligé, une chose à peu près inévitable qui se produit dans la grande majorité des disciplines sportives. On remarque que les types de blessures diffèrent d'un sport à l'autre. Chaque discipline a ses classiques, son propre palmarès des blessures les plus fréquentes.**

Elles sont fréquentes, en effet. Depuis presque trente-cinq ans en tant qu'entraîneur de coureurs de tous les niveaux, je l'ai constaté chez les quelque 3 000 d'entre eux que j'ai supervisés. Gérer jusqu'à 150 ou 200 membres inscrits au cours d'une année m'a donné l'occasion de mesurer le phénomène, et mes statistiques sont éloquentes à ce sujet.

En moyenne, depuis mes débuts, j'ai constaté que ce sont en général 8% des coureurs qui se blessent durant une période donnée. En d'autres mots, en tout temps, c'est presque un dixième de l'équipe qui est retournée au vestiaire. Selon mon décompte, de 25 à 30% de mes coureurs ont eu une blessure au courant de l'année.

Fait intéressant, pas moins de la moitié de ces athlètes blessés sont des coureurs qui s'entraînent depuis moins de deux ans. Est-ce un indice que l'inexpérience est peut-être à la source de certaines blessures évitables? Nous y reviendrons.

## LA MODÉRATION

Au cours des années, je suis devenu de plus en plus convaincu qu'à long terme, un **entraînement bien dosé** est sans aucun doute l'élément essentiel permettant de diminuer le risque de blessure. Cela s'applique aux athlètes de tous les âges et de tous les niveaux. J'ai souvent insisté sur ce dosage auprès de plusieurs de mes athlètes d'élite, et cela n'en a empêché aucun de connaître une belle carrière sur le plan national ou international. Je n'hésite pas à le dire, un entraînement mesuré et juste à point est un facteur de réussite à long terme chez n'importe quel athlète.

J'ai donc toujours préféré entraîner mes athlètes de façon prudente. En revanche, il faut qu'ils acceptent de bien vouloir s'entraîner en respectant les rythmes suggérés, ce qui a pour conséquence qu'ils doivent toujours demeurer sur leur appétit. Ce n'est pas évident. Le défi est encore plus grand quand on s'entraîne sans entraîneur.

J'ai donc appliqué le même principe lorsque j'ai conçu, en 2005, les premiers programmes d'entraînement au 5 km, au 10 km, au 21,1 km et au marathon qui étaient offerts sur le site web du Marathon de Montréal. J'ose croire que ces entraînements dosés auront permis à des milliers de coureurs de s'entraîner de façon autonome et en toute sécurité. Aujourd'hui, ce sont les programmes proposés dans les deux tomes de *Courir au bon rythme* qui prennent la relève, toujours dans cette même veine du gros bon sens.

## LA COMMUNICATION

Le deuxième point qui est très important, c'est la communication entre l'athlète et l'entraîneur. Il arrive trop souvent qu'à l'apparition des premiers symptômes de ce qui ressemble à une blessure, on ferme les yeux en souhaitant que ça disparaisse tout seul, comme par magie. Erreur. Il faut en parler à l'entraîneur ou à un professionnel de la santé, ça presse.

Au début de chacun de mes entraînements, depuis 1982, je répète inlassablement la petite phrase suivante, que mes athlètes connaissent par cœur : «Et n'oubliez pas de m'aviser si vous avez une blessure.» Quand cela se produit, je fais des modifications au contenu de l'entraînement de l'athlète, selon la gravité et la nature du bobo.

Rappelez-vous, *une blessure détectée à temps à l'entraînement peut être guérie un peu plus rapidement!*

Oui, il arrive que ce ne soit pas grave et qu'il s'agisse d'une courbature plutôt que d'un début de blessure. Avec le temps, les coureurs expérimentés réussissent à les distinguer. Ils sont à l'écoute de leur corps, ayant probablement déjà enduré une longue pause forcée et ne voulant surtout pas en revivre une autre. En attendant d'être comme eux, ne prenez pas de risque. Allez parler à votre entraîneur. Si vous vous entraînez seul, consultez si possible un professionnel de la santé.

## L'INTERROGATOIRE

Bon, l'entraîneur n'est pas médecin. Enfin, pas toujours. Mais il faut bien commencer quelque part et un bon entraîneur tentera d'aller chercher le plus d'indices possible pour vous suggérer la suite des choses. Attendez-vous donc à un barrage de questions. À défaut d'entraîneur, interrogez-vous vous-même!

La première série de questions : As-tu respecté, au cours des derniers jours, le contenu de l'entraînement sur le plan du volume (les kilomètres)? De l'intensité (le rythme)? De la fréquence (le nombre de séances par semaine)?

La deuxième série : As-tu fait quelque chose de différent sur le plan physique au cours des derniers jours, par exemple un déménagement, un grand ménage, ou même du jardinage ? As-tu pratiqué un autre sport avec intensité ? As-tu participé à une compétition sans m'en parler ? Un test de forme physique en cachette ?

La troisième : Ça fait combien de temps que tu ressens la douleur ? Est-ce qu'elle augmente, est-ce qu'elle a un peu diminué récemment ou est-ce qu'elle est stable ? As-tu mal lorsque tu marches, lorsque tu cours, lorsque tu montes ou descends les escaliers ?

Comme entraîneur, je tente toujours de diriger l'athlète blessé vers un spécialiste en médecine sportive, en fonction du type de blessure que je crois constater. Le but est toujours d'éviter les délais nuisant à la guérison.

Si la blessure persiste, il ne faut surtout pas endurer. Allez consulter un professionnel de la médecine sportive dans une clinique. Ce type de clinique offre d'excellents services. En définitive, c'est ce professionnel qui sera en mesure de vous donner l'heure juste et de vous faire les recommandations nécessaires selon le type de blessure dont vous souffrez et sa gravité.

# 7:00

# COURIR EN COMPÉTITION

# COMBIEN DE COMPÉTITIONS DEVRAIS-JE FAIRE PAR ANNÉE ?

**Vous souhaitez avoir une longue carrière en course à pied ? Dans ce cas, même si vous ne vivez que pour la compétition, la modération a toujours meilleur goût. Tenez compte de votre niveau, du type de course que vous privilégiez et de votre âge pour déterminer votre nombre annuel d'épreuves.**

Les athlètes d'élite, qu'ils soient coureurs de 800 m ou marathoniens, font en moyenne de 10 à 20 épreuves annuellement. À ce niveau, ce n'est pas tant le nombre de compétitions qui importe que le choix stratégique des événements selon le calibre et la période de l'année. En plus, dans la planification, il faut tenir compte des nombreuses heures de voyagement et du décalage horaire.

Plus près de nous, selon les statistiques des courses sur route organisées, plus de la moitié de la clientèle de ce genre d'événements ne s'inscrit pas à plus d'une ou deux compétitions par année. Et pourquoi pas ? Cela convient parfaitement dans une optique de course récréative. Pour l'autre moitié, qui se lance dans trois courses et plus, je recommande aux mordus un maximum de 8 à 10 participations annuelles.

## BIEN GÉRER SA LUNE DE MIEL

Ce conseil est d'autant plus important pour les coureurs débutants. Je constate que certains d'entre eux sont tentés, les deux premières années, de participer de façon assez répétitive à ces épreuves. Ils semblent en mesure de battre leur marque personnelle à toutes les compétitions pendant cette période de lune de miel avec leur nouveau sport. C'est enivrant! Mais qu'on soit débutant ou plus expérimenté, le risque d'un tel enthousiasme est de ne pas récupérer suffisamment entre les compétitions, un besoin qu'il est important de combler.

Si vous êtes porté sur les distances plus longues, comme le 21,1 km et le marathon, votre nombre de courses devrait se limiter à trois ou quatre par année afin d'optimiser cette récupération. Généralement, la récupération active suggérée après un 21,1 km est de deux semaines. Pour un marathon, je conseille quatre semaines. Elle consiste à courir à un rythme R1 pendant 30 à 40 minutes, à raison de trois ou quatre fois par semaine. Par la suite, l'entraînement normal peut reprendre en vue du prochain objectif.

Si vous aimez plutôt les épreuves de 5 et de 10 km, la récupération active est un peu plus courte. Prévoyez trois jours pour un 5 km et une semaine pour un 10 km. Pourvu que votre entraînement demeure régulier, avec une fréquence de quatre sorties par semaine, vous pourrez faire davantage de compétitions en une année.

## UNE COMPÉTITION PAR MOIS, C'EST SUFFISANT!

À partir de l'âge de 45 ans, peu importe leur niveau, je conseille généralement à mes athlètes de ne pas participer à plus d'une course par mois en moyenne durant la haute saison, soit de mars à octobre. Je constate qu'à partir de cet âge, il est déjà plus difficile de participer à deux compétitions consécutives en un mois. La force musculaire et la capacité maximale de consommation d'oxygène diminuent progressivement. C'est clair, en vieillissant, la récupération est beaucoup plus lente. D'où l'importance, à un moment donné, d'être un peu plus sage et à l'écoute de son corps.

Voir aussi 5:05 (page 124), *Comment adapter son entraînement après 50 ans?*

# COMMENT SE PRÉPARER DURANT LES SEMAINES QUI PRÉCÈDENT UNE COMPÉTITION ?

**La période d'affûtage, ou de *taper*, est la dernière étape de l'entraînement. Elle vous permettra d'arriver fin prêt à votre compétition. Vous serez alors en mode attente, avant de foncer vers votre objectif.**

Dans tous les programmes d'entraînement sérieux, une période d'affûtage est prévue les jours qui précèdent une compétition importante. Elle est de 5 à 21 jours, selon le type d'épreuve, votre niveau et aussi votre âge.

Pas facile, cette période d'attente! Il faut retenir sa fougue et lutter contre la tentation d'en faire le plus possible, ou encore un peu plus, puisqu'il reste encore du temps. En suivant plutôt le contenu du programme d'entraînement à la lettre, et jusqu'à la fin, vous mettrez toutes les chances de votre côté pour atteindre votre objectif.

## LE DOSAGE

Le principe de cette approche est carrément de diminuer le volume d'entraînement dans ce «dernier droit» en programmant des séances considérablement écourtées. Cela a pour effet de réduire le niveau de fatigue du coureur. En même temps, il conserve son niveau de forme en maintenant l'intensité à un niveau élevé, malgré une légère diminution du nombre d'intervalles à accomplir.

Le bon dosage sur le plan de l'affûtage est très important si l'on tient à maintenir un travail de qualité. Mais il faut réussir à en faire juste assez pour disposer de toute l'énergie nécessaire le jour J.

## LES ERREURS À ÉVITER

Durant la période d'affûtage, il faut éviter, à l'entraînement, d'augmenter son rythme régulier pour tester son niveau de forme. Résistez surtout à la tentation de faire un test improvisé durant votre entraînement au rythme de la compétition. Ce sera peut-être le test de trop.

Soyez patient! Encore une fois, le meilleur conseil que je puisse vous donner est de continuer à faire confiance à votre programme jusqu'à la fin, même si c'est tentant de tricher un peu!

## LE MENTAL

Je constate que cette période d'affûtage semble difficile sur le plan mental, surtout chez certains marathoniens, dans les trois à six semaines qui précèdent le jour J. Plusieurs se mettent à douter ou à se sentir anxieux. C'est durant cette période que je reçois plusieurs appels de ceux qui sont inquiets parmi mes athlètes. Je les rassure en leur rappelant que c'est un passage obligé pour tous les marathoniens. Il faut tout simplement continuer à suivre son programme d'entraînement à la lettre tout en gardant confiance.

## LES COUREURS AVANCÉS

Pour les coureurs avancés, cette période d'affûtage est doublement importante, même si elle n'est pas toujours simple à gérer. L'entraîneur doit faire des essais et parfois quelques erreurs pour trouver le meilleur dosage. Il arrive parfois que les athlètes doivent participer à deux compétitions importantes en l'espace d'une semaine, ce qui rend la tâche de leur entraîneur encore plus complexe.

Comme entraîneur, il peut être tentant d'en demander un peu plus à son athlète. Avec les années, j'ai acquis la conviction qu'en demander un peu moins est toujours plus payant à la longue. Il faut donc rester à l'écoute de son athlète pour s'assurer que tout va bien et qu'il est toujours sur le bon chemin.

# QU'EST-CE QUE JE DOIS BOIRE ET MANGER AVANT ET PENDANT UNE COMPÉTITION?

**La nutrition, c'est désormais connu, contribue à la performance. Mais saviez-vous qu'une alimentation mal gérée dans les jours qui précèdent une course peut gâcher votre compétition? J'ai interrogé la nutritionniste Josée Cloutier pour répondre à cette question.**

## L'HYDRATATION: BOIRE AVANT D'AVOIR SOIF!

L'apport hydrique est primordial les jours précédant une compétition. L'eau constitue les deux tiers du poids du corps et remplit plusieurs fonctions vitales. Une déshydratation, même légère, entraîne une baisse de l'efficacité musculaire et des performances.

Une hydratation inadaptée en compétition n'est pas sans conséquence: perturbation de la régulation de la température du corps, augmentation du débit sanguin et risque de coup de chaleur, diminution des capacités musculaires, fatigue, troubles digestifs, accumulation de déchets musculaires (acide lactique), crampes et apparition de blessures (tendinite, claquage, malaise ou accident cardiovasculaire).

## MIEUX VAUT PRÉVENIR QUE GUÉRIR!

La recommandation d'apport hydrique moyenne chez l'adulte est de un litre et demi d'eau par jour (six à huit verres). Le sportif doit boire davantage pour compenser les pertes liquides (urine et sueur). La semaine précédant la course, la nutritionniste recommande aux coureurs des apports entre deux et trois litres d'eau par jour, voire plus par temps chaud ou humide, de façon à arriver bien hydraté à la ligne de départ.

Une façon de tester si votre apport en liquides est suffisant est d'observer la couleur de vos urines: si celles-ci restent toujours claires, vous êtes bien hydraté ; si elles sont foncées, c'est le signal que vous ne buvez pas assez d'eau. Il est très rare de trop boire, car le trop-plein est éliminé par les reins. Variez les formes consommées : eau, thé, tisane, lait, fruits et légumes frais, etc.

## L'ALIMENTATION, JAMAIS SANS MES PÂTES !

Pour constituer les réserves en glycogène, carburant stocké dans les muscles et dans le foie, il est conseillé de manger des aliments sources d'amidon (ou «glucides complexes»).

Le fameux plat de pâtes alimentaires peut être consommé l'avant-veille (plutôt que la veille, car le temps de digestion est supérieur à 24 heures). Il peut aussi être remplacé par du riz, du quinoa ou de la semoule accompagné d'une sauce pauvre en graisses, plus facile à digérer.

L'apport en protéines, viandes, poissons, fromage, œufs et légumineuses (si on les tolère bien), en quantité raisonnable, présente également un intérêt. Les produits sucrés sont à limiter la veille pour prévenir l'élévation rapide du sucre (glycémie) dans le sang.

## AVANT UNE COMPÉTITION, NE CHANGEZ RIEN À VOS HABITUDES !

Pour éviter le stress inutile, ne changez pas vos habitudes. Au moins trois heures avant le départ, prenez un repas copieux comprenant des glucides (rôties, bagel, biscottes, riz, gruau ou céréales à grains entiers). Réduisez les apports en graisses et en fibres pour un meilleur confort digestif.

Buvez votre boisson habituelle tout en modérant la consommation de café, compte tenu de son effet diurétique. Certains gels, le thé ou les boissons gazeuses contiennent aussi de la caféine. Buvez ensuite de l'eau, environ toutes les 30 minutes jusqu'au départ.

## PENDANT LA COURSE, PASSEZ EN MODE LIQUIDE OU SEMI-LIQUIDE

Le ravitaillement est un important facteur de réussite durant une compétition, car les réserves en glycogène s'épuisent après 60 à 90 minutes d'effort. Pour les courses sur de moyennes et de longues distances, privilégiez les gels ou les jujubes énergétiques à prendre avec de l'eau. Ils faciliteront la vidange gastrique.

Si vous avez l'habitude de manger solide, certains aliments comme les bananes ou les fruits secs peuvent être consommés, à condition d'être bien tolérés. Buvez à chaque ravitaillement, même si vous ne ressentez pas la soif.

## CONSEILS ALIMENTAIRES AVANT ET PENDANT LA COMPÉTITION

- Apportez toujours une bouteille d'eau dans les transports ou au travail les jours qui précèdent votre compétition.

- Lors des sorties d'entraînement, prenez de l'eau légèrement sucrée et salée ou une boisson énergétique pour sportifs de votre choix.

- Pendant la course, buvez régulièrement par petites gorgées. S'il vous est difficile de boire pendant un effort intense, prolongez le temps de ravitaillement.

- Gardez avec vous une bouteille d'eau pendant la course en prenant de petites quantités, par prises répétées, soit environ un demi-litre d'eau par demi-heure.

- Testez vos ravitaillements (gels énergétiques, jujubes, etc.) plusieurs semaines avant l'épreuve. Optez pour des aliments connus et bien tolérés.

N'oubliez pas de connaître l'emplacement des différents postes de ravitaillement sur le parcours. En vous souhaitant bon appétit... et bonne compétition!

# C'EST LE JOUR J ! COMMENT PRÉPARER MA STRATÉGIE DE COURSE ?

**Plusieurs coureurs s'entraînent rigoureusement pendant des mois en vue d'une épreuve, mais se présentent à la ligne de départ sans aucune stratégie de course. Si vous courez uniquement dans le but de terminer votre épreuve, la stratégie est d'une importance relative. Mais si votre but premier est de réussir un chrono précis, une stratégie de course planifiée sera le plus sûr moyen d'atteindre votre objectif.**

Avant votre compétition, assurez-vous d'avoir fait quelques recherches pour avoir une petite idée de ce qui vous attend et pour minimiser les risques d'imprévus. Assurez-vous, par exemple, de connaître le profil du parcours et les différents dénivelés, le nombre de participants prévus, dont ceux de votre niveau, l'emplacement des postes de ravitaillement ou des toilettes sur le parcours, ou encore les prévisions météo, sans oublier l'humidité et le vent.

Avec toutes ces informations, vous serez mieux outillé pour aller au front. N'oubliez pas que pendant votre course, vous serez livré à vous-même. La connaissance de tous ces petits détails sera un atout qui vous aidera à batailler et à vous accrocher.

## VOUS COUREZ POUR LA PREMIÈRE FOIS UN 5 KM, UN 10 KM OU UN 21,1 KM EN COMPÉTITION ?

La seule certitude que vous avez si vous vous lancez sur une de ces distances pour la première fois, c'est que vous allez établir un record personnel. Votre meilleure stratégie devant l'inconnu sera d'y aller «mollo» au cours des premiers kilomètres et ensuite d'entreprendre la seconde partie du parcours un peu plus rapidement. L'objectif est de bien répartir votre effort du début jusqu'à la fin.

## ET SI VOUS AVEZ DÉJÀ RÉALISÉ UN CHRONO PRÉCIS AUPARAVANT?

Ce chrono antérieur obtenu en compétition vous servira de référence pour vous fixer un rythme précis dès les premiers kilomètres de votre course.

Pour établir votre stratégie, divisez votre parcours de compétition, que ce soit un 5, un 10 ou un 21,1 km, en trois parties égales. Dans le premier tiers de votre épreuve, vous aurez à courir au rythme de votre meilleur chrono sur la distance. Selon les circonstances ou les difficultés du parcours, vous pourrez aussi y aller un peu plus lentement. Si tout va bien, ou si en fin de compte cela vous paraît trop lent, vous pourrez entreprendre le deuxième tiers du parcours en augmentant légèrement votre rythme. Par exemple, retranchez de trois à cinq secondes au kilomètre. Maintenez ce régime jusqu'au seuil de la troisième portion de votre parcours.

Le dernier tiers de votre épreuve, c'est une troisième période de hockey. Donnez tout ce que vous avez, mais tentez quand même de bien répartir votre effort jusqu'à la fin. Vous devez avoir de l'énergie en réserve pour soutenir cette étape. N'oubliez pas que si vous vous êtes laissé entraîner par un départ trop rapide, vous risquez d'en payer le prix à la fin de votre course.

## LE MARATHON, C'EST AUTRE CHOSE!

En athlétisme, le marathon est la seule épreuve dont le parcours comporte «un mur».

Si vous partez trop vite, il se dressera inévitablement devant vous vers le trente-deuxième kilomètre, ou même avant. Si vous adoptez une stratégie de départ plus prudente et la maintenez sur les 10 premiers kilomètres, vous réduirez le risque de vivre cette sensation de grande fatigue, voire d'épuisement, aux trois quarts du parcours.

Méfiez-vous si vous courez votre deuxième marathon après une première expérience sans encombre. Votre niveau de confiance est élevé et, sans que vous vous en doutiez, le risque du mur marathonien est accru. Rappelez-vous qu'un marathon est toujours une épreuve redoutable.

Tout marathonien expérimenté vous le confirmera, le marathon est avant tout une longue balade jusqu'à la deuxième ligne de départ, vers le trentième kilomètre. La suite, c'est une petite course de 12,2 km en état de fatigue. La meilleure stratégie est d'arriver pas trop épuisé à cette deuxième ligne de départ et d'avoir ainsi suffisamment d'énergie pour terminer en force, peut-être même avec le sourire!

# COMMENT MIEUX RÉCUPÉRER SUR LE PLAN MUSCULAIRE APRÈS UNE COMPÉTITION ?

·7:05

**La récupération après une épreuve est un retour graduel au régime normal d'entraînement et fait partie intégrante de ce dernier. Plus la régénération sur le plan musculaire sera complète et efficace, plus ce retour sera rapide. J'ai recueilli les propos de deux massothérapeutes sportifs qui œuvrent dans le milieu de la course à pied, Pascal Lussier et Olivier Côté.**

Les options sont nombreuses pour mieux récupérer sur le plan musculaire et varient selon le goût personnel du coureur et son niveau. Normalement, cette récupération doit tenir compte de la durée de l'effort fourni en compétition.

Pour le coureur de haut niveau, la récupération musculaire est un facteur essentiel et une incidence directe sur la performance. Dans les compétitions nationales et internationales, il n'est pas rare de voir des tables de massage installées aux abords de la piste ou à l'hôtel où sont hébergés les athlètes.

## L'APRÈS-COURSE

La routine du retour au calme après une compétition est une pratique courante chez la majorité des coureurs de bon niveau. Elle consiste en une vingtaine de minutes de course très légère tout de suite après l'épreuve, suivie au besoin d'une séance d'étirements. Bien qu'à ma connaissance les études scientifiques n'aient pas unanimement validé la pratique des étirements, je ne vous les déconseille pas.

Par la suite, certains coureurs déterminés vont même prendre un bain de glace ou une douche très froide, surtout après une compétition de longue durée comme le marathon. Chez l'élite, cette pratique est assez courante après un entraînement à haute intensité ou encore entre deux compétitions importantes successives.

## LE LENDEMAIN ET LES JOURS SUIVANTS

Dans les jours suivant une compétition, s'en tenir à un jog léger, en évitant les surfaces dures et en excluant les séances d'intensité, est une bonne façon de récupérer. Pratiquer un sport de type cardio sans contact au sol, comme le vélo ou la natation, est aussi une excellente option.

Les recettes sont nombreuses. Faites des essais et adoptez la vôtre selon ce qui vous semble bien fonctionner.

## UN BON MASSAGE

Si vous en avez les moyens, un bon massage post-compétition vous fera le plus grand bien. En massothérapie sportive, cette intervention est appelée «massage récupératoire». Sa durée peut varier de quelques minutes à plus ou moins une heure. Elle peut être exécutée dans les minutes suivant la compétition, mais cela peut aussi attendre jusqu'à quelques jours après l'événement. Par contre, plus l'intervention sera immédiate, plus elle sera efficace.

Le massage récupératoire consiste en différentes techniques, la «technique russe» par exemple, qui ont pour but de chasser les déchets métaboliques intramusculaires causés par la surutilisation musculaire durant l'épreuve. De plus, elles permettent de dissocier les différents plans musculaires pour redonner souplesse et mobilité aux tissus mous.

À la suite de ce traitement, l'athlète ressent moins l'effet des courbatures, raideurs, contractures et spasmes dus à l'accumulation des déchets métaboliques et aux microdéchirures intramusculaires. Le niveau de tension musculaire étant souvent plus grand après une compétition, le massothérapeute pourra rétablir la souplesse musculaire perdue. L'athlète sera alors en mesure de reprendre plus rapidement l'entraînement pour sa prochaine compétition tout en réduisant le risque de blessure.

Allez-y avec la formule qui vous donnera le meilleur bénéfice!

# À QUEL MOMENT DOIT-ON COURIR SON PREMIER MARATHON ?

**Plusieurs coureurs débutants envisagent de courir un jour un marathon, ce qui est parfaitement compréhensible. En effet, cette épreuve mythique de 42,2 km continue d'alimenter l'imaginaire collectif par sa riche histoire et sa légendaire difficulté.**

Vous en êtes venu à courir régulièrement, votre intérêt pour ce sport se confirme et cela se détecte dans votre conversation. Ou alors, il vous arrive de mentionner tout simplement que vous courez. Tôt ou tard (immanquablement, diront certains), un ami ou un collègue répliquera : «Cours-tu le marathon?»

C'est comme ça à tous les niveaux. À l'époque très lointaine où j'étais un jeune athlète dans la vingtaine, spécialisé dans les distances de 1 500 m à 10 000 m sur piste et de 5 à 21,1 km sur route, plusieurs amis me demandaient, vous l'aurez deviné : «Et puis, cours-tu le marathon?».

C'est à croire que si on ne court pas le marathon, on n'est pas un vrai coureur! Il faut concéder que, de l'extérieur, il peut être difficile de comprendre comment certains peuvent cumuler à l'entraînement une moyenne de 120 km par semaine et ne pas avoir pour objectif de courir ce fameux marathon!

Courir le marathon est-il essentiel pour un coureur? Franchement, non. Mais si vous aimez pratiquer la course à pied au point d'en faire un mode de vie, si vous n'êtes pas trop souvent contraint de gérer des blessures, si vous avez de l'énergie et du temps, alors pourquoi pas!

En revanche, évitez de vous précipiter en courant un marathon prématurément ou en le faisant en réaction à l'influence du milieu. À vouloir épater la galerie, ou vous-même, vous risquez d'en payer le prix. Pensez à vous avant tout. Si vous hésitez à entreprendre cette aventure, faites-en un objectif à long terme et allez-y au moment où vous vous sentez prêt. Trop de coureurs abordent leur premier marathon en étant mal préparés et s'exposent à un risque accru de blessure. Au lieu de s'offrir un exploit personnel, ils vivent une déception, suivie parfois d'une période de découragement.

## LA DÉCISION

Mais le marathon… quelle aventure exaltante si on a l'occasion de la vivre dans les bonnes conditions! Alors, comment décider de se lancer ou non? Je crois que la première question que vous devez vous poser doit porter sur votre quotidien : disposez-vous du temps nécessaire pour un entraînement assidu de plusieurs heures par semaine pendant plusieurs semaines? L'entraînement au marathon est beaucoup plus exigeant et comporte un volume de travail beaucoup plus élevé que lorsqu'on s'entraîne sur des distances de 10 ou 21,1 km.

Si vous jugez que le temps n'est pas un obstacle pour vous, votre deuxième interrogation devrait consister à vous demander si vous avez un minimum d'expérience en course à pied pour entreprendre ce type de défi. Lorsqu'on me pose la question comme entraîneur, je suggère généralement de courir un minimum de deux hivers consécutifs sur une base régulière, à raison de quatre fois par semaine, pour un total de 200 minutes en moyenne. Aussi, il est indiqué d'avoir participé à au moins trois courses de 21,1 km en compétition et d'être allé chercher de précieuses minutes sur cette distance : à partir de votre meilleur temps, une extrapolation vous permettra d'estimer un objectif réaliste pour un parcours de 42,2 km.

## L'ENTRAÎNEMENT

Pour s'entraîner au marathon, il faut surtout éviter l'improvisation. Choisissez un programme d'entraînement à votre mesure et évitez le surentraînement. Les coureurs ont fréquemment l'impression de ne pas en faire assez et sont tentés d'en ajouter pour être plus en forme le jour J. Cela est parfaitement normal, et vous êtes parfaitement normal si vous vous reconnaissez là-dedans. Mais, en course à pied, il faut respecter le programme à la lettre et rester sur son appétit en tout temps.

N'adoptez qu'UN seul programme d'entraînement. Trop de coureurs inexpérimentés improvisent en fusionnant deux programmes en un. D'autres s'imposent des séances de répétitions trop rapides en vue d'objectifs plus ou moins bien adaptés et structurés. Avec de telles pratiques, le gâteau risque de ne pas lever et vous vous exposez à de mauvaises surprises.

Rappelez-vous ceci : le premier marathon demeure un moment mémorable dans la carrière d'un coureur. Raison de plus de le terminer sans trop souffrir.

## LE *TIMING*

Je vous suggère de courir votre premier marathon au cours de la seconde partie de l'année, c'est-à-dire à partir de la fin de la période estivale, pour vous permettre de vous préparer adéquatement tout en bénéficiant des meilleures conditions climatiques.

Si vous courez votre marathon au printemps, soyez assuré d'être en mesure de courir régulièrement à partir du mois de janvier et d'avoir une forme physique de base. S'entraîner en hiver au Québec peut comporter des obstacles, lors des longues sorties de plus de deux heures par exemple.

## LE BON OBJECTIF

Au terme de votre premier marathon, le chrono final n'a aucune importance.

Je vous suggère de vous donner pour objectif prioritaire de terminer l'épreuve du 42,2 km avec le sourire. Vous aurez en prime un nouveau record personnel pour cette distance. En fait, les seuls chronos qui ont de l'importance, ce sont les temps de passage au 5 km et au 10 km que vous aurez déterminés dans les jours précédant la course pour partir sur une base plus prudente dans la première partie du parcours.

Encore aujourd'hui, je rencontre des coureurs qui me racontent avec passion leur premier marathon, réalisé il y a plus de trente ans. Pour vous aussi, le premier marathon demeurera un moment inoubliable. Bon marathon !

Voir aussi 4:04 (page 75), *Comment m'y prendre pour augmenter mon niveau d'entraînement ?*

# J'AIMERAIS PARTICIPER À UN TRIATHLON, PAR OÙ COMMENCER ?

**Il m'arrive à l'occasion de croiser des coureurs expérimentés voulant vivre l'expérience d'un premier triathlon. Ils cherchent un nouveau défi ou ont parfois simplement le goût de varier leur entraînement habituel en y intégrant la natation et le vélo. Comment aborder un tel projet, somme toute assez sérieux ?**

Le premier grand défi du coureur est de bien maîtriser la natation. C'est souvent son point faible, faute d'avoir pratiqué ce sport très technique sur une base régulière dans le passé. C'est souvent cela qui décourage notre coureur de participer à un triathlon.

Pour contrer cela, il faut profiter de la saison hivernale pour s'inscrire à des cours de natation. L'objectif est d'améliorer sa technique et sa vitesse pour pouvoir aller chercher de précieuses minutes dès la première partie de la course.

Le vélo, c'est une autre histoire. En général, le coureur n'a pas trop de problèmes à s'adapter à ce sport, car il est très complémentaire à la course à pied. Plusieurs coureurs ont déjà certaines habiletés de base en vélo et sont en mesure d'atteindre un niveau de performance respectable assez rapidement.

Par contre, il faudra investir une somme importante dans l'achat d'un vélo. Il ne faut pas s'y méprendre, la qualité de cet équipement a un effet sur la performance. Pour pouvoir «suivre la parade» à l'entraînement et en compétition, ça prend au départ une bonne monture. Adeptes de Bixi, prière de vous abstenir. Heureusement que le reste du kit du triathlète ne se résume qu'à un maillot et des chaussures!

## PAR OÙ COMMENCER

Il faut d'abord bien doser les séances d'entraînement chaque semaine en intégrant les trois sports à l'horaire. Le défi est de posséder un programme d'entraînement sur mesure qui permette d'en faire suffisamment, mais en même temps juste assez pour pouvoir bien récupérer. Réduisez le temps accordé à l'entraînement en course à pied pour laisser plus de place à la natation et au vélo dans votre horaire.

Comme dans tous les bons programmes d'entraînement, les trois éléments qui sont à surveiller en tout temps sont le volume, l'intensité et la fréquence hebdomadaire. Chacun a une incidence, au fil des semaines, sur l'énergie disponible pour progresser.

## UNE BONNE GESTION DE VOTRE TEMPS SERA UN ATOUT

Vous aurez à trouver des moments précis au cours de la journée pour pouvoir vous entraîner efficacement. Allez courir tôt le matin, avant le réveil des autres membres de la famille, ou pendant l'heure du midi, au boulot. Allez travailler à vélo si possible. Adaptez votre horaire en fonction des heures d'accès aux piscines.

La meilleure source de motivation est de vous joindre à un club pour profiter de l'effet de groupe. Vous trouverez là un encadrement, un partage des connaissances et d'une passion commune, ainsi que de l'encouragement. Ce ne sera pas de refus lorsque vous aurez à vous entraîner à quelques reprises à raison de deux fois par jour en pleine semaine.

Pour éviter l'improvisation, il vaut mieux faire valider votre programme d'entraînement. Informez-vous et allez consulter un entraîneur de triathlon reconnu.

# JE FAIS DE LA COURSE SUR ROUTE, POURRAIS-JE PARTICIPER À UNE COMPÉTITION SUR PISTE?

**Avez-vous déjà songé à tenter un jour l'expérience d'une course sur piste? Si vous avez un certain bagage en course à pied et le goût de vivre une nouvelle aventure, pourquoi pas! Voici quelques recommandations d'entraîneur pour vous préparer à relever ce défi.**

Depuis plusieurs années, certains clubs organisent des tests annuels sur piste. Pas besoin d'être un coureur compétitif pour y participer. L'objectif est simplement d'évaluer le niveau de forme des membres. Ces compétitions non officielles, programmées au cours de l'été, se font habituellement sur des distances plutôt courtes, 3 000 m, 2 000 m, 1 500 m ou 1 000 m, par exemple. Ces distances permettent surtout de vérifier la vitesse acquise dans le cadre des entraînements estivaux par intervalles.

Les tests annuels sur piste ont aussi pour but de faire profiter de l'effet de groupe à l'intérieur de pelotons de même niveau, permettant aux coureurs d'aller chercher de précieuses secondes sur leur chrono. Par la suite, les secondes retranchées sur la piste se traduiront par la soustraction d'importantes minutes sur des distances plus longues lors des prochaines courses sur route.

Peu importe votre niveau de forme et votre âge, vous avez votre place à la ligne de départ, mais à la condition de courir avec des gens de votre calibre. Les compétitions sur piste sont accessibles et constituent une bonne préparation pour aller chercher un peu plus de vitesse.

## COMMENT SE PRÉPARER

Une préparation adéquate dans le cadre d'un entraînement structuré est toujours souhaitable en prévision d'une épreuve sur piste. C'est aussi un moyen d'éprouver un maximum de plaisir. L'improvisation n'a pas sa place sur la piste. Une préparation inadéquate ou une mauvaise expérience en compétition pourrait tout simplement vous enlever le goût de participer de nouveau à ce type de compétition.

Apprendre à courir vite en faisant des entraînements par intervalles est un élément clé pour s'améliorer à long terme. Pour réussir, cela prend un programme d'entraînement sur mesure et un dosage des efforts selon votre niveau forme. Cela vous permettra de gravir les échelons un à un tout en évitant le surentraînement.

Si vous avez peu d'expérience sur piste, votre meilleure option est de vous joindre à un club pour obtenir les services d'un entraîneur qualifié qui sera en mesure de bien vous préparer en fonction de l'épreuve que vous aurez choisie. Il sera la personne clé pour répondre à toutes vos interrogations.

Votre entraîneur sera en mesure de vous préparer un programme d'entraînement adapté en fonction du calendrier des compétitions estivales et de vous proposer une série d'épreuves qui vous aideront à atteindre vos objectifs.

Pour participer aux compétitions sur piste en athlétisme, il faut être membre de la Fédération québécoise d'athlétisme pour obtenir votre licence et votre dossard permanent. Il n'est pas nécessaire d'être membre d'un club pour détenir cette licence.

## VOUS ÊTES MAINTENANT MORDU

Vous avez vécu cette première expérience avec succès et vous êtes maintenant un mordu des compétitions sur piste. Bravo! L'étape suivante sera de vous procurer une bonne paire de chaussures à crampons adaptée à la piste, selon votre type d'épreuve, dans le but d'avoir un peu plus d'adhérence lors de vos départs et dans votre dernier tour de piste.

Au début, c'est toujours une curieuse sensation que de courir avec ce type de chaussures dans les pieds. Vous aurez l'obligation de modifier un peu votre technique et vos chutes seront fréquentes si vous ne levez pas les genoux assez haut. Il vaut mieux faire plusieurs essais à l'entraînement et prendre le temps nécessaire pour vous adapter avant votre compétition.

## LES CHOSES À SAVOIR

Disputer une épreuve sur piste est généralement plus stressant que de courir lors d'une compétition sur route. Sur la piste, l'ambiance est différente, car les épreuves sont plus courtes et les coureurs, généralement plus compétitifs.

Dans les épreuves de 800 m et plus, on s'entasse coude à coude sur la ligne de départ et, dès le signal du départ, il faut s'imposer et prendre sa place dans le peloton. À cet instant crucial, il faut s'assurer de ne pas être pris en boîte pour éviter de se faire imposer un rythme plus lent que prévu.

Les stratégies peuvent varier d'une compétition à l'autre et en fonction de l'enjeu. À titre d'exemple, si vous courez dans un championnat et que l'objectif premier est de monter sur le podium, les rythmes peuvent être très variables tout au long de l'épreuve et dictés par les meneurs.

Si vous courez pour obtenir un meilleur chrono, la stratégie est différente. Il faut alors profiter de la présence de leaders en tête de peloton et adopter le bon rythme, le leur, dès le départ.

Au-delà de ces principes de base, ayez confiance en vous et dites-vous que la meilleure stratégie, c'est la vôtre !

# Y A-T-IL DE BONS TRUCS POUR GAGNER UNE COURSE ?

**Vous êtes-vous déjà imaginé, dans vos rêves les plus fous, remporter une course ? Quelle que soit votre réponse, si vous êtes du genre à vous intéresser aux statistiques de vos courses et à toujours jeter un coup d'œil au haut du classement, il y a quelque chose qui vous travaille ! Vous êtes candidat pour tenter un jour cet exploit.**

« L'important c'est de participer », comme le veut le dicton. Mais la victoire demeure toujours une expérience agréable à vivre, un moment qui reste à jamais gravé dans la mémoire. Même après plusieurs années, les anciens coureurs n'oublient pas les victoires remportées au cours de leur carrière.

Il faut dire qu'en course à pied, la notion de victoire est bien relative. À une autre époque, lorsque j'étais athlète, certains dans mon entourage me demandaient parfois, après une compétition : « Pis, as-tu gagné ? », ce à quoi je répondais, par exemple : « Non, j'ai juste terminé quatrième sur 1 600 coureurs... » Il y a des défaites qui ont un goût de triomphe.

## STRATÉGIES ET TACTIQUES

Pour gagner devant tout le monde, il faut d'abord choisir une épreuve à la hauteur de son calibre. Allez vérifier les résultats de l'année précédente afin d'évaluer le niveau des participants. Cela vous indiquera tout de suite si vos chances sont bonnes. Ensuite, inscrivez-vous !

N'oubliez pas qu'il y a toujours des coureurs de votre niveau qui ont le même objectif que vous. Si les performances de la dernière édition ont été faibles, vous pourriez avoir une surprise lors de celle-ci : quelques amis inattendus sur la ligne de départ !

Pour espérer remporter une course, il faut connaître le profil du parcours : les différents dénivelés, l'emplacement des bornes kilométriques et des postes de ravitaillement, par exemple. Plus vous aurez d'information de la sorte en tête, plus vous aurez d'outils pour gérer votre épreuve.

Un des meilleurs conseils que je puisse vous donner est d'aller vous échauffer sur les derniers kilomètres du parcours avant la course. Vous aurez ainsi une petite idée de ce qui vous attend quand vous serez dans un état de fatigue. Si vous connaissez bien cette fin de parcours, cela pourra aussi vous être très utile dans les dernières minutes, par exemple pour décider quand attaquer si vous vous retrouvez côte à côte avec un concurrent à la première place. Du plaisir à l'état pur! Même après toutes ces années, j'ai des soubresauts d'adrénaline qui remontent à la surface.

Plaisir ou pas, courir pour gagner n'est jamais facile. Dans la mesure du possible, il faut connaître ses adversaires. Si vous êtes déjà au courant de leurs points forts et de leurs faiblesses, cela peut être un atout durant la course pour choisir la meilleure tactique et remporter l'épreuve.

Sinon, il y a quand même moyen d'aller chercher cette fameuse victoire. Courez avec vos oreilles. Dans la seconde partie du parcours, si votre adversaire est légèrement essoufflé, vous pouvez tenter un premier test, soit un petit changement de rythme sous forme d'une accélération surprise de quelques secondes. Si vous avez réussi à creuser un écart avec votre adversaire, assurez-vous de garder cette distance ou de l'augmenter jusqu'à la fin pour qu'il ne puisse pas revenir sur vous. N'oubliez pas qu'il possède encore un avantage à ce point : c'est vous qui êtes dans son champ de vision.

Si vous êtes toujours accompagné de votre adversaire après cette petite accélération, tentez-en d'autres. Ayant repéré au préalable les différents dénivelés du parcours, que ce soit des montées ou des descentes, vous avez encore quelques cartes dans votre jeu. Tentez des changements de rythme à des endroits précis, en fonction de vos forces à l'entraînement. Pour gagner, il faut avoir confiance en ses moyens et imposer sa propre stratégie, non réagir à celles des autres.

## CHEZ LES FEMMES, GAGNER SE FAIT AUTREMENT

La grande majorité des courses sur route sont mixtes et, pour les femmes, cela implique de devoir, si possible, repérer leurs adversaires potentielles au fil du parcours. En effet, les chances sont grandes que les coureurs qui sont devant elles soient pour la plupart des hommes. *Où sont donc mes rivales?*

Malgré cela, il est préférable de s'assurer de courir en peloton (hommes et femmes de même calibre) dans la première moitié du parcours. En effet, à vouloir aller chercher l'adversaire potentielle à l'avant, vous risquez de vous retrouver seule face au vent pendant plusieurs minutes. Pendant ce temps, vos autres adversaires sont derrière vous, mais protégées du vent par un peloton auquel elles auront judicieusement choisi de se greffer.

Il y a un prix à payer à la fin pour une mauvaise stratégie durant l'épreuve. Ne pas être sur la plus haute marche du podium!

Voir aussi 7:04 (page 153), *C'est le jour J! Comment me préparer une stratégie de course?*

## 7:10 · COMMENT M'ORGANISER QUAND JE VAIS COURIR À L'ÉTRANGER

**Participer à une compétition à l'étranger, si on en a les moyens, est non seulement une belle expérience à vivre, mais aussi une excellente source de motivation à l'entraînement. Même si vous n'envisagez pas de vous inscrire à une épreuve, de nombreuses formules de course à pied touristique vous sont offertes depuis que ce concept s'est répandu dans le monde entier.**

La course à pied est une activité universelle. Peu importe où vous serez dans le monde, vous trouverez toujours une course organisée prête à vous accueillir, quel que soit votre niveau. Un budget de vacances, vos chaussures de course, un short et une camisole, c'est au fond tout ce qu'il vous faut pour participer à des compétitions, sinon pour aller courir, aux quatre coins du globe. Peu d'autres sports offrent une telle flexibilité!

## EXPLORER AU PAS DE COURSE

Pour peu qu'on prenne la peine de se munir d'une carte ou de son téléphone intelligent, il est toujours plaisant d'arriver dans une nouvelle ville et d'en découvrir les différents quartiers en courant. Avant de partir à l'aventure, consultez le web. Il regorge de suggestions de parcours pour à peu près n'importe où sur terre.

Mais puisque tout se vend, on peut aussi faire appel depuis quelques années, dans de nombreuses grandes villes, aux services d'un guide accompagnateur. Habituellement offerte à partir de l'hôtel, cette formule est un bon moyen de découvrir des circuits populaires auprès des coureurs du coin, mais moins connus des touristes. Le tarif dépend du nombre de participants et la durée de la sortie peut varier entre une heure et une heure et demie.

## LES GRANDES FÊTES DE LA COURSE À PIED

Pour ceux qui préfèrent participer à un événement, il n'y a pratiquement aucune limite quant au choix offert. Il s'organise des marathons jusqu'en Antarctique et au Groenland! Mais vous pouvez aussi bien satisfaire votre ambition en commençant par un des grands marathons américains, comme Boston, New York ou Chicago. En fait, les 100 plus grandes villes américaines organisent leur marathon. Pour certains événements, l'exemple le plus connu étant Boston, l'inscription est conditionnelle à la réussite préalable d'un temps de qualification selon son groupe d'âge à un autre marathon reconnu.

D'autres courses sont moins sélectives à ce titre, mais tout de même si populaires qu'elles sont contingentées. On procède donc par tirage au sort pour attribuer une partie des places. Un truc: recourez à une agence de voyages spécialisée. Ce genre d'agence détient un bloc de places réservées et pourra en prime vous offrir une chambre d'hôtel à proximité de la ligne de départ. Ajoutez à cela le transport et une quelconque formule d'encadrement, ce sont là des soucis en moins et des conditions plus propices pour vous concentrer sur votre objectif.

En plus, un horaire bien conçu vous permettra de vivre l'ambiance de ce grand week-end de course à pied, sans compter les attractions touristiques ou de circonstance. Par exemple, tous les grands marathons reconnus dans le monde présentent leur expo-marathon, qui se déroule dans des salles immenses remplies de centaines d'exposants. Allez y faire des découvertes.

## LE DÉCALAGE HORAIRE

Vous êtes fébrile, car vous partez courir en Europe. Le *feeling* change un peu quelques heures plus tard. Rien de grave, la difficulté que vous vivez, c'est évidemment le décalage horaire à l'arrivée. Pour gérer cela, je suggère généralement à mes athlètes un séjour minimum de trois nuitées avant leur compétition, si possible.

À votre arrivée à l'hôtel, faites une sieste chronométrée d'une durée maximale de deux heures. Vous serez alors en bonne forme pour poursuivre vos activités le reste de la journée. Le premier soir, n'allez vous coucher qu'après 22 heures, même si vous avez le goût de dormir avant. Le truc est d'éviter de vous endormir trop tôt pour ensuite vous réveiller au milieu de la nuit.

Au cours des deux jours suivants, vous aurez sans doute un coup de barre en après-midi. Il faut surtout éviter la tentation de faire une sieste. Après trois jours, les sensations de décalage horaire sont généralement terminées.

## EN FRANCE, ÇA PREND LE BILLET MÉDICAL !

Ce qui est formidable en Europe, c'est le réseau de compétitions de course à pied. Il est immense ! Juste en France, près de 5 000 courses sont organisées annuellement. Tous les week-ends, des centaines de compétitions de toutes sortes se déroulent partout au pays.

Une seule contrainte : depuis quelques années, pour qu'un touriste puisse courir une compétition organisée en France, il lui faut produire un billet médical signé par son médecin traitant et attestant sa bonne forme physique. Soyez prévoyant.

## DES TRUCS POUR D'AUTRES DESTINATIONS

L'Asie, c'est autre chose : une traversée interminable et un décalage de 12 à 14 heures. Curieusement, le décalage dans cette direction me paraît beaucoup moins pénible à surmonter. Quoi qu'il en soit, si votre voyage en est un de course à pied, je vous conseille de faire partie d'un groupe organisé ou de retenir les services d'une agence. Cela facilitera vos déplacements.

Une situation plus courante : un voyage dans le Sud en hiver. C'est là une option intéressante pour un minicamp d'entraînement, pour augmenter quelque peu votre volume ou encore pour peaufiner votre entraînement et vous préparer aux objectifs du printemps.

Si vous courez sous les palmiers, il est préférable de vous entraîner tôt le matin avant le petit déjeuner et d'éviter la canicule quotidienne. Sinon, attendez jusqu'à 19 h et faites votre parcours avant le repas du soir. Assurez-vous de vous hydrater durant vos entraînements.

Peu importe le pays où vous êtes, adaptez-vous aux conditions et aux coutumes du coin. Même si vous possédez déjà de l'information, n'hésitez pas à consulter les coureurs locaux que vous croiserez ou encore les gens de l'hôtel au sujet des endroits les plus sécuritaires où courir. Pour le reste, laissez-vous guider par votre goût de l'aventure.

# QUE DEVRAIS-JE SURTOUT VISER EN COMPÉTITION : MON MEILLEUR CHRONO OU MON CLASSEMENT ?

**En compétition, votre chrono devrait n'avoir qu'une importance relative si vous êtes un coureur de type récréatif. N'empêche qu'il est toujours bon d'être conscient de son rythme, surtout dans les premiers kilomètres. Il faut même parfois savoir se modérer sur certaines portions de parcours ! Qui n'est pas curieux, par ailleurs, de connaître la durée de son effort ? Si vous êtes un coureur compétitif, c'est autre chose. Votre rythme au kilomètre vous dit si vous êtes dans le coup et le chrono final à la ligne d'arrivée demeure une évaluation précise du fruit de votre travail à l'entraînement.**

À l'entraînement, le chrono est important pour tous les types de coureurs, récréatifs, compétitifs, débutants ou confirmés. Il permet de respecter le rythme prévu au kilomètre, la durée des intervalles courts ou longs, et également d'établir la durée totale de la séance d'entraînement.

## COURIR AVEC UNE MONTRE

Pour un tel contrôle, un outil s'impose : la montre numérique ou GPS. Très utile pour la grande majorité des coureurs compétitifs, elle est un outil essentiel au sein de la communauté de la course à pied en général. On trouve aujourd'hui la fameuse montre GPS conçue pour la course à pied, celle qui compile des données précises au cours d'une course, d'un entraînement ou d'une longue sortie, lesquelles peuvent ensuite être transférées dans l'ordinateur pour une analyse plus approfondie, pour la gestion des objectifs ou pour le plaisir.

Cet accessoire est-il indispensable ? Non. Désirable ? Certes ! À défaut d'avoir le budget nécessaire ou d'avoir reçu un cadeau, disons que la bonne vieille montre à affichage numérique peut faire l'affaire, pour peu qu'on fasse quelques calculs mentaux.

## LA COURSE CONTRE LA MONTRE

Vous courez sans montre ? C'est ce que vous croyez. Dans toute compétition organisée, un système de chronométrage à la ligne d'arrivée enregistre le temps de course et la position de chaque concurrent. Est-ce important ? Pour le coureur débutant, le chrono final à l'arrivée est une excellente source de motivation : souvent, au début, il battra son record personnel à toutes les courses avant d'atteindre son premier plateau.

Pour le coureur confirmé ou le coureur d'élite, le chrono final prend de l'importance au fil des semaines de la saison qui s'écoule : pour une évaluation de la forme physique au début de la saison et, par la suite, à l'approche des compétitions clés de la période estivale, comme indicateur du degré de préparation. Plus le niveau de l'athlète est élevé, plus la période de *peak* est restreinte dans le temps. Raison de plus de suivre ses résultats de près, dans une démarche de planification continue ne laissant aucune place à l'improvisation. Voilà comment on atteint ses objectifs annuels.

## COURIR POUR LA POSITION

À quel moment doit-on courir pour la position ? Selon mon expérience, les athlètes doivent miser sur la position finale plutôt que sur le chrono lors des différents championnats scolaires ou ceux de tous niveaux : régionaux, provinciaux, nationaux et mondiaux. C'est la même chose pour les différents jeux, comme ceux du Québec, du Canada ou même les Olympiques. Le prestige de ces événements fait qu'on veut les gagner, qu'importe le chrono.

L'objectif ultime lors de ces différents championnats, c'est donc d'atteindre la plus haute marche du podium ou, à tout le moins, d'obtenir un excellent classement. Si vous battez votre marque personnelle en obtenant un podium, c'est le summum !

Si un athlète est déçu de son chrono lors d'un championnat, malgré qu'il ait obtenu une place sur le podium, c'est qu'il n'a pas tout à fait compris les enjeux. Il devra comprendre l'importance de la position finale lors d'un championnat et se concentrer sur la meilleure stratégie pour l'atteindre, avec les options à prévoir selon les circonstances en cours d'épreuve.

Ainsi, il arrive parfois, dans une grande finale sur piste ou sur route, que les finalistes décident de partir lentement ou rapidement selon la stratégie du jour. À l'entraînement, l'athlète doit s'exercer aux différents changements de rythme pour obtenir la meilleure position. Cela s'applique aux athlètes de tous les niveaux!

7:12·

## COMMENT BIEN SE PRÉPARER AVANT UNE COMPÉTITION?

**Éprouver une certaine frénésie avant une compétition, c'est un peu normal. C'est comme entrer en scène le jour d'une grande première. Avant de vous présenter à la ligne de départ, assurez-vous de vous être bien préparé les semaines précédentes. Voici quelques trucs qui pourraient vous permettre d'augmenter votre niveau de confiance et de réduire votre niveau de stress avant votre compétition.**

Êtes-vous vraiment prêt pour cette course? La préparation, en matière d'entraînement au cours des dernières semaines, a ici toute son importance et jouera sur votre niveau de confiance. Si, pour quelque raison que ce soit, vous avez dû supprimer quelques séances de votre programme, le sentiment que vous risquez d'en payer le prix vous habitera à la ligne de départ.

Dans une telle situation, empruntez un rythme un peu plus prudent au cours des premiers kilomètres pour tester votre niveau de forme. Puis, si tout va bien, tentez de revenir à votre plan de match, c'est-à-dire à votre rythme prévu initialement. Quel que soit le résultat final, il est toujours plus satisfaisant d'avoir pu terminer une épreuve en force.

## CONNAÎTRE LES PETITS DÉTAILS AVANT VOTRE COURSE

Bien connaître à l'avance toutes les particularités du parcours d'une course est un élément important sur les plans psychologique et stratégique. Étudiez les difficultés de ce parcours, ses montées et ses descentes, kilomètre par kilomètre. Déterminez l'emplacement précis de chaque poste de ravitaillement. Vous ne le regretterez pas durant votre course.

Vous aurez ainsi toutes les informations en main pour établir la meilleure stratégie du jour en fonction de vos forces et faiblesses. Pensez aussi aux ajustements à prévoir selon les caprices de la météo : le froid, la chaleur, l'humidité et le vent sont des facteurs qui peuvent fortement influencer le déroulement d'une course.

Pour les coureurs compétitifs, connaître les forces et faiblesses de ses adversaires ainsi que leur niveau de forme est très important si votre objectif premier est d'obtenir une place sur le podium. Il ne faut surtout pas improviser, car la moindre erreur peut nuire à votre classement final.

Faites une recherche sur le web. Vérifiez les résultats de l'année précédente pour estimer la profondeur du peloton et évaluer le nombre de coureurs de votre niveau. Cela vous donnera une petite idée du calibre, sachant toutefois que les statistiques peuvent varier d'une année à l'autre.

## LA LOGISTIQUE, CETTE CHOSE ESSENTIELLE

Vous vous êtes bien entraîné pour votre épreuve et vous l'avez bien visualisée. Vous avez votre stratégie en tête et très hâte de vous élancer. Minute ! Il faut bien vous rendre à la ligne de départ ! Croyez-moi, rater un départ, c'est arrivé à plus d'un coureur. Tâchez d'éviter d'être le prochain !

Les préparatifs de départ, ça commence au plus tard la veille. Prenez le temps nécessaire pour préparer votre sac de course. Ramasser ses choses au réveil, chercher le dossard égaré à quelques minutes du départ de la maison, pour moi, ce n'est pas loin d'une description de l'enfer !

À l'avance ou pas, assurez-vous d'avoir dressé la liste des choses à mettre dans votre sac. La paire de chaussures de course, le dossard... le short! Disons que, le matin de la compétition, ce genre d'articles personnels est toujours difficile à se procurer sur place, même si vous avez plusieurs amis qui aimeraient vous aider!

## ARRIVEZ TÔT!

Arrivez au moins une heure et demie avant votre compétition. Sachez que le temps passe toujours très vite avant un départ, et vous avez encore fort à faire d'ici là : trouver le lieu exact de la compétition, dénicher une place de stationnement, repérer les vestiaires, attendre en file aux toilettes, etc. En plus, avant une compétition, il y a toujours des imprévus qui grugent votre temps et augmentent votre niveau de stress.

Dès votre arrivée sur place, il est important de trouver le lieu exact du point de départ de la course. Attention! Il arrive parfois, dans certaines compétitions, que les lignes de départ et d'arrivée ne soient pas situées au même endroit. Évitez-vous la très mauvaise surprise de devoir faire un long *sprint* à quelques minutes du départ. Rien de tel pour bousiller un plan de course. Pas très bon pour les résultats.

Un truc fondamental est d'établir une routine, un rituel en fait, pour l'heure qui précède le coup de départ. Vous la peaufinerez avec le temps, de course en course. Ce rituel, c'est le moment d'entrer dans sa bulle. Vous vous échauffez alors de façon optimale avant ce fameux coup de pistolet.

# MA COURSE APPROCHE ET JE CROIS QUE JE N'ATTEINDRAI PAS MON OBJECTIF, QUE FAIRE ?

**Ce que vous décrivez là est une crainte normale qui existe chez les athlètes de tous les niveaux, surtout à l'approche d'une compétition importante. Généralement, cette inquiétude s'installe déjà quelques semaines avant la date fatidique, alors que vous êtes encore au cœur de votre entraînement. Le niveau de fatigue est élevé et vous commencez à douter un peu de vous-même ainsi que du contenu de votre entraînement.**

Il est important que vous ayez au départ des objectifs réalistes et surtout réalisables. Plusieurs athlètes, et même certains entraîneurs, font l'erreur de mettre la barre trop haut, croyant créer ainsi une source de motivation. Il faut également surveiller votre entourage, qui peut avoir tendance lui aussi à vous surévaluer pour vous motiver. Or, des objectifs irréalistes au départ ou une mauvaise planification dans le choix des compétitions peut devenir néfaste à long terme pour l'athlète.

## COURIR POUR ATTEINDRE UN CHRONO PRÉCIS EN COMPÉTITION ?

Comme entraîneur, j'ai toujours eu une approche envers mes athlètes qui consiste à leur demander de se donner à 100 % en compétition, plutôt que de courir pour obtenir des chronos précis. Participer à une compétition est toujours une source de stress et courir en fonction d'un chrono idéal devient automatiquement un élément de stress supplémentaire.

Si vous êtes obsédé par cette idée de courir la course parfaite à chacune de vos compétitions, cela peut nuire à votre motivation à la longue. La patience est une qualité très importante si vous voulez progresser à long terme. En général, la course parfaite, le chrono rêvé, ne survient qu'une seule fois dans l'année ou encore lors d'une compétition sur 20. C'est tout dire. Cessez de vous torturer !

Je préfère une approche beaucoup moins stressante consistant à adopter un rythme précis et prudent dans les premiers kilomètres d'une course pour éviter l'erreur de partir trop vite. Par la suite, le chrono lui-même n'a en quelque sorte plus d'importance ; il faut juste s'assurer de tout faire pour maximiser le potentiel qu'on a ce jour-là. La meilleure recette, c'est d'être en mesure de bien répartir son effort jusqu'à la ligne d'arrivée, tout en donnant son 100 %.

## NE JAMAIS ABANDONNER

Si un malaise vous cause un doute sérieux sur la ligne de départ et que vous croyez vraiment ne pas être en mesure de parcourir toute la distance, il vaut mieux vous retirer. Une compétition, c'est comme entrer dans un tunnel : la seule issue est d'arriver au bout.

S'il vous arrivait d'abandonner une première fois une compétition par manque de motivation ou de détermination, assurez-vous par la suite de bien comprendre ce qui s'est passé. Le danger est que cette situation se répète.

La seule bonne raison d'abandonner une compétition, c'est d'avoir une blessure importante ou un malaise soudain en pleine course qui vous empêche de maintenir le rythme pour terminer la compétition. Si vous êtes parti trop vite au début, là, c'est autre chose. Vous avez commis une erreur et il faut que vous en preniez conscience pour corriger ce comportement.

## SAVOUREZ PLEINEMENT LE MOMENT

Plusieurs coureurs ne sont jamais satisfaits, même après avoir battu leur marque personnelle. C'est un réflexe normal chez certains athlètes. Ils sont compétitifs et savent qu'il est toujours possible de faire mieux. Plusieurs athlètes qui ont connu une belle carrière en sport ont d'ailleurs le sentiment, à leur retraite, qu'ils auraient pu faire mieux. Mais il serait dommage de laisser ce réflexe gâcher un moment important, alors qu'après tout vous avez réalisé un progrès. La motivation aussi, ça se gère.

# EST-IL RECOMMANDÉ DE SUIVRE UN « LAPIN » EN COMPÉTITION ?

**À tous les grands marathons dans le monde, on trouve parmi les participants des «lapins», c'est-à-dire des meneurs d'allure qui ont comme mission de courir la distance du début à la fin selon un chrono précis. Ces lapins doivent en principe maintenir un rythme régulier de kilomètre en kilomètre, de la ligne de départ jusqu'à la ligne d'arrivée, pour ainsi aider les participants qui les suivent à atteindre leur objectif.**

De plus en plus d'organisations de course sur route recrutent des lapins non seulement pour le marathon, mais aussi pour des distances plus courtes, les 10 et 21,1 km par exemple. C'est un service offert aux coureurs qui fait en quelque sorte partie du marketing de l'événement. Cette aide précieuse permet aux participants de parcourir la distance en toute sécurité, à un rythme précis et selon leurs capacités. Elle leur permet surtout d'éviter l'erreur classique de partir un peu trop vite.

Les coureurs exploitent ce système de plusieurs façons. Certains profitent de la présence du lapin pour amorcer leur épreuve à un rythme plutôt lent, attaquent ensuite la deuxième partie du parcours plus rapidement. D'autres respectent le rythme régulier du lapin pendant toute l'épreuve pour conserver leur énergie et s'offrent le plaisir d'un *kick* final, une accélération dans le dernier kilomètre du parcours.

## LE LAPIN ATTIRE LES FOULES...

Quelle que soit votre stratégie, il y a plusieurs avantages à courir en compétition avec un lapin. Vous avez l'occasion de vous greffer à un peloton de plusieurs coureurs qui ont le même objectif que vous. Vous profitez de l'effet de groupe, cet état psychologique qui vous procure une énergie supplémentaire. Vous pouvez aussi vous mettre à l'abri du vent, en partageant la tâche quand ça se prolonge, parfois pendant de longs kilomètres, ce qui vous donne un certain avantage sur les autres concurrents.

Donc, en général, si vous tentez l'expérience, il vous sera beaucoup plus facile de courir en groupe et cela vous aidera à franchir de nouvelles barrières sur le plan du chrono, ce qui serait sans doute plus difficile en solitaire.

## ÉVITEZ LES MAUVAISES SURPRISES!

Assurez-vous que le lapin respecte le rythme demandé dès les premiers kilomètres de l'épreuve. Il arrive parfois qu'un lapin peu expérimenté, emporté par son enthousiasme, ne respecte pas les consignes au signal de départ. Ou encore, par temps chaud surtout, la crainte de manquer d'énergie avant la fin de l'épreuve peut le pousser à en faire un peu plus pour avoir du temps en réserve.

Vous devriez donc être entre les mains de bons coureurs. Mais assurez-vous que le rythme au kilomètre du lapin sera respecté dès les premiers kilomètres, pour éviter de partir trop vite et d'en payer le prix à la fin. Si sa stratégie est de partir un peu plus vite parce qu'il prévoit des difficultés de parcours, il faut que vous le sachiez. Au marathon, certains lapins courent 10 minutes et marchent une minute en alternance, et ce, jusqu'à la fin. Bon à savoir également! Généralement, pour vous éviter des surprises de ce genre, le lapin vous informera de sa stratégie avant le départ.

## LES QUALITÉS D'UN BON LAPIN

Un bon lapin doit avoir couru la distance à plusieurs reprises avant d'offrir ses services et d'être en mesure de conseiller les participants durant le parcours. Mais surtout, il doit avoir la capacité de tenir la promesse du chrono prévu. À cette fin, il est essentiel que les organisations sélectionnent des lapins pour des chronos désignés en tenant compte de l'écart entre le temps prévu et le record personnel du lapin.

Au marathon, il est souhaitable qu'il y ait un écart minimal de 45 minutes entre le chrono à livrer et la meilleure performance du lapin sur la distance. Au 21,1 km, une différence d'une vingtaine de minutes est recommandée et, au 10 km, c'est une marge de 10 minutes au moins dont le lapin devrait disposer par rapport à sa marque personnelle.

## ET SI LE LAPIN VA UN PEU TROP VITE POUR VOUS ?

Si votre lapin a pour objectif de courir le 21,1 km en·deux heures, alors que votre valeur se situe aux alentours de 2 h 7 min, il est alors préférable d'amorcer votre course à votre propre rythme. Vous vous donnez alors la possibilité de terminer votre épreuve en force... et d'espérer! Certains coureurs confrontés à cette situation, s'ils sont à moins de cinq minutes du lapin sur un 21,1 km par exemple, auront pour stratégie de le suivre à distance au début pour ainsi tenter, si tout va bien, de le rattraper en fin de course.

## SI VOUS N'AVEZ PAS DE LAPIN, COURIR EN PELOTON EST LA MEILLEURE STRATÉGIE

Si vous courez en compétition aux côtés de centaines de participants, il vous sera utile dans la première partie du parcours de repérer les pelotons de trois à cinq personnes à proximité, qu'ils soient devant ou derrière vous. Joignez-vous à eux. Évitez ainsi de courir trop longtemps seul face au vent. Sinon, on vous dépassera au premier moment de faiblesse.

# QUELLE EST LA DIFFÉRENCE ENTRE LE *GUN TIME* ET LE *CHIP TIME* ?

·7:15

**En bref, le *gun time,* c'est le temps écoulé entre le signal du départ et le moment où vous franchissez la ligne d'arrivée. Il inclut les secondes, voire les minutes, à attendre que le peloton de départ se mette en branle au tout début de la course. Le *chip time,* c'est une mesure électronique du temps exact écoulé entre le moment où vous franchissez la ligne du départ et celui où vous franchissez la ligne d'arrivée.**

L'introduction de la puce électronique, il y a une vingtaine d'années, fut une véritable révolution pour les organisations de course sur route. On comprendra aisément que la collecte automatique des informations personnelles sur chaque coureur par des senseurs au fil d'arrivée a grandement simplifié la tâche des organisateurs. En fait, on a peine à s'imaginer comment on s'en tirait auparavant!

## ON N'ARRÊTE PAS LE PROGRÈS

À une époque pas si lointaine, la puce électronique était attachée au lacet de votre chaussure de course. Comme elle était réutilisable, une armée de bénévoles avait la responsabilité de la récupérer à l'arrivée. Le système étant habituellement confié en sous-traitance à une association locale, les pertes étaient élevées pour les organisateurs de l'épreuve et, ultimement, pour les coureurs.

La puce ne cesse d'évoluer. Aujourd'hui, la majorité des compétitions font appel à des puces jetables insérées au dos du dossard. Très pratique pour le coureur, ce système rend la vie encore plus facile aux organisateurs.

## À L'ÈRE DES TAPIS DE DÉPART

J'y ai fait allusion précédemment, dans bien des courses sur route, la collecte des renseignements contenus dans votre puce ne se fait pas seulement à la fin de votre épreuve, mais aussi au départ, pour pouvoir compiler, au final, le *chip time* en plus du *gun time*. C'est même possible à des stades intermédiaires de la distance à parcourir. Cela se fait au moyen de tapis munis de senseurs, que franchissent tous les coureurs inscrits.

Avec ces fameux tapis, on assiste parfois à de drôles de phénomènes. Certains coureurs moins compétitifs se présentent paisiblement dans la zone de départ, alors que le peloton est déjà parti depuis quelques minutes. Les files d'attente aux toilettes ne disparaissent pas forcément au coup de départ. Pas de stress!

Et pourquoi pas? Soyons zen. Vive la puce!

## MAIS ATTENTION, LE CHRONO OFFICIEL, C'EST LE *GUN TIME*

Il arrive que dans une course populaire avec classement par groupes d'âge, l'organisateur choisisse à sa discrétion le type de chrono, *gun time* ou *chip time*, qui sera retenu pour le classement et la remise des médailles.

Mais, en course sur route, le temps officiel est tout de même toujours celui qui s'écoule à partir du coup de pistolet. C'est le seul chrono qui est reconnu officiellement pour les différents records, ainsi que pour déterminer les trois gagnants d'une épreuve homologuée. La même consigne s'applique aux compétitions d'athlétisme sur piste.

Par contre, le temps de la puce est accepté comme standard de qualification à certains marathons prestigieux, comme Boston et New York, par exemple. C'est une approche intéressante en ce qu'elle renforce le principe d'équité du processus d'inscription, et ce, pour les coureurs de tous les niveaux.

Si vous visez une médaille dans votre groupe d'âge à une épreuve populaire, assurez-vous de bien connaître les règles établies par l'organisateur avant votre départ. Évitez la surprise qui vous fera déchanter après l'ivresse de la victoire. Est-ce le temps officiel du pistolet ou le temps de la puce qui sera retenu pour le classement?

Si c'est le temps du pistolet qui est reconnu, vous avez intérêt à vous placer près de la ligne de départ et pas trop loin de vos concurrents. Évitez de perdre de précieuses secondes lors du départ. Aller chercher une place sur un podium dans son groupe d'âge n'est pas chose facile! C'est encore plus vrai après un coup de pistolet.

# COMMENT ÊTRE EFFICACE À MON PASSAGE AU POSTE DE RAVITAILLEMENT ?

**Dans une course sur route de 5 km ou plus, vous aurez normalement accès à de l'eau ou à une boisson sportive, au choix, à des postes de ravitaillement répartis sur le parcours. Ces postes sont espacés de 3 ou 4 km en moyenne et sont gérés par des bénévoles qui vous offriront votre ration versée à l'avance dans un petit verre de carton. Vous l'attraperez au passage, sans ralentir bien sûr, et hop ! le tour sera joué.**

Si c'était si simple ! En fait, pour un coureur moins expérimenté, le passage au poste de ravitaillement peut parfois ressembler à un embouteillage et s'avérer difficile à gérer. Voici quelques recommandations pour un passage en douceur et une économie de précieuses secondes à ce moment-clé de votre compétition.

## CONNAÎTRE LES EMPLACEMENTS DES POSTES DE RAVITAILLEMENT SUR LE PARCOURS

Prenez d'abord connaissance de la carte du parcours avant votre course et mémorisez l'emplacement précis de tous les postes de ravitaillement. En ayant ces informations, vous pourrez prévoir l'approche des postes durant votre épreuve et ajuster si nécessaire votre foulée ou encore votre position par rapport aux attroupements éventuels.

Surveillez l'affichage sur le parcours. Il devrait vous annoncer la proximité du prochain poste de ravitaillement. À noter que dans les petites courses, cet affichage peut être absent, d'où l'importance de rester attentif tout au long du parcours et d'éviter l'élément-surprise dans le déroulement de votre course.

## DÉGAGEZ... ET BUVEZ

Au poste de ravitaillement, les verres d'eau et de boisson sportive sont empilés sur des tables devant lesquelles sont postés les bénévoles qui les distribuent. Ces tables sont généralement installées sur le côté, de part et d'autre de la chaussée. Le nombre de tables à chaque poste est déterminé en fonction du nombre de participants inscrits à l'épreuve. Il peut y en avoir beaucoup. Soyez vigilant aux abords des premières tables, car c'est là qu'il risque d'y avoir congestion. Repérez donc d'autres tables moins occupées et accessibles plus loin. Vous épargnerez un peu de temps, vous éviterez les bousculades et même une chute. Ça arrive, même aux Jeux olympiques.

À votre passage à une table, saisissez le verre que vous tend le bénévole et écrasez-en la partie supérieure en forme de bec de canard. De cette façon, vous réussirez à conserver le contenu à l'intérieur du verre — parce que vous courez toujours, n'est-ce pas? Buvez lentement, tout en tentant de garder votre rythme et d'éviter de vous étouffer. Il est préférable d'y aller par petites gorgées. Si vous désirez boire en marchant, faites-le au milieu de la chaussée. Assurez-vous donc de vous éloigner des tables pour éviter de nuire aux autres coureurs derrière vous.

## VÉRIFIER LE CONTENU AVANT DE...

Soyez certain du contenu de votre verre. Vous pourriez ainsi éviter de vous verser sur la tête une boisson sportive pour vous rafraîchir, ce qui m'est déjà arrivé comme coureur à l'époque où la mode était aux cheveux longs...

Lorsque vous avez terminé de boire, assurez-vous de jeter votre verre à la poubelle, s'il y en a une. Sinon, déposez tout simplement votre verre sur les abords de la chaussée pour ne pas nuire aux autres coureurs sur le parcours. Essayez ne pas jeter votre verre sur un terrain privé. Cela facilitera le travail de l'équipe bénévole de ramassage après la course.

Si vous en avez l'énergie, n'hésitez pas à remercier ces bénévoles sur le parcours. Un petit geste suffit, et cette attention est toujours très appréciée. C'est la plus belle des récompenses pour ces bénévoles dévoués.

# LES MASSAGES SPORTIFS SONT-ILS ESSENTIELS AVANT UNE COMPÉTITION?

**Il est connu que le massage sportif procure des bienfaits à tout athlète, qu'il soit débutant ou de haut niveau. Il lui permet de s'adapter au stress mécanique que subissent ses tendons, ses muscles, ses ligaments et ses cartilages. J'ai recueilli les propos de deux massothérapeutes sportifs qui travaillent dans le monde de la course à pied, Pascal Lussier et Olivier Coté.**

Quels sont précisément les avantages de se faire masser avant une compétition? Tout d'abord, les techniques particulières du massage sportif précompétition préparent et stimulent les muscles. En particulier, le massage sportif augmente le flot sanguin intramusculaire, condition nécessaire pour que le coureur soit prêt lors du départ d'une épreuve. Ce flot accru augmente l'oxygénation et la nutrition des tissus, ainsi que leur flexibilité. Le massage sportif diminue aussi les contractures et les spasmes musculaires. Il optimise la biomécanique du corps et contribue à la prévention des blessures. Il participe finalement à la préparation mentale de l'athlète en évacuant le stress lié à la compétition et en favorisant ainsi sa performance.

## QUAND DOIT-ON SE FAIRE MASSER?

Tout dépend du type d'intervention. Pour ce qui est du massage préparatoire, il doit idéalement être fait dans l'heure précédant la compétition. Il ne dure que de 5 à 20 minutes et son effet est à court terme. Il peut néanmoins s'avérer un élément important de la préparation à la performance.

Si vous désirez vous faire masser les jours précédant une compétition, planifiez au moins une à deux sorties de course afin de permettre aux récepteurs à l'intérieur de vos muscles et tendons de se «reprogrammer» en fonction d'une nouvelle réalité côté tensions musculaires. Vous éviterez ainsi d'avoir l'impression que vos jambes sont lourdes et ne répondent pas comme à l'habitude.

L'idéal est d'intégrer à votre préparation des séances de massothé-rapie périodiques à certaines étapes précises de votre programme. Ainsi, vous pourrez bénéficier des effets de ces traitements tout au long des semaines précédant votre compétition. Pour planifier vos rencontres, discutez-en avec votre massothérapeute sportif. Il saura vous conseiller sur les moments clés pour consulter.

## EN QUOI CONSISTE LE MASSAGE PRÉPARATOIRE ?

Le massage préparatoire, dispensé juste avant une épreuve, est habituellement un massage rapide et sans huile pour stimuler la masse musculaire et non la rendre amorphe. Les manœuvres sont des compressions profondes et rapides au niveau du ventre muscu-laire pour augmenter l'apport sanguin, des frictions rapides sur les tendons pour stimuler les propriocepteurs et des points de pres-sion localisés sur les contractures musculaires pour les éliminer.

## UNE PRÉCAUTION À PRENDRE

Un massage trop profond et trop long fait à un moment trop rapproché d'une compétition peut entraîner une réponse muscu-laire diminuée. Vous pourriez perdre une partie de la puissance et de l'endurance musculaire dont vous avez besoin au moment de l'épreuve. Idéalement, accordez-vous quelques jours de répit entre le massage et la journée de la compétition. Consultez un massothérapeute sportif qui est qualifié pour intervenir de façon adéquate, peu importe le moment où vous aurez besoin de lui.

## MIEUX VAUT PRÉVENIR QUE GUÉRIR !

Durant votre préparation, vous programmez votre corps pour le jour J. Vous lui demandez des changements importants sur plusieurs plans. Accordez-lui la possibilité d'une meilleure adap-tation musculaire. Ainsi, vous n'en progresserez que mieux, tout en évitant les blessures.

Consultez un massothérapeute sportif de façon périodique. Il pourra vous aider à vous maintenir au maximum de vos capacités. Un équilibre entre souplesse musculaire et force et contrôle musculaire favorisera une bonne posture et une bonne biomécanique. En conservant cet équilibre, il vous sera plus facile d'optimiser votre technique de course et d'éviter, là encore, les blessures.

# QUE METTRE DANS MON SAC À LA VEILLE D'UNE COMPÉTITION ?

**C'est effectivement à l'avance qu'il faut rassembler ses effets personnels quand il s'agit de se rendre à une compétition. Prévenez les oublis! Certains objets sont d'une importance capitale : sans votre dossard, vous ne pourrez pas courir. Minimisez donc votre stress au réveil et utilisez à de meilleures fins le temps qu'il vous reste avant votre course.**

Pour les habitués, les derniers préparatifs précédant une course sont en fait un rituel qui commence plusieurs heures avant le coup de départ. Ils n'en dorment que mieux, la conscience tranquille. Parmi ces préparatifs, il y a le sac de sport. Que contient-il?

Les vêtements sont évidemment au haut de la liste. La camisole, le short, la casquette, les chaussures de course et les chaussettes que vous allez porter durant la course sont des incontournables. (Chez Les Vainqueurs, la camisole représente les couleurs du club ; elle est obligatoire lors de toute compétition, été comme hiver.) Pensez aussi au coupe-vent et au pantalon, ou collant, pour votre période d'échauffement. Ils seront utiles après la course, selon la saison.

## EN CAS DE PLUIE

Il faut prévoir un imperméable ou encore un poncho. Certains coureurs utilisent le traditionnel sac à ordure, dont ils se revêtent avant le départ pour se protéger de la pluie et pour garder leurs muscles au chaud. L'idée est de pouvoir s'en débarrasser en le jetant, tout simplement, au coup de départ, ce que les organisateurs tolèrent dans les circonstances. Un grand parapluie pourrait aussi s'avérer utile avant ou après la course. Si la consigne concernant cet article pose problème, confiez-le à des amis spectateurs qui vous accompagnent ce jour-là.

## PAR TEMPS FROID

Apportez un chandail à manches longues et un chandail à manches courtes. Portez-en un au choix sous la camisole durant la course afin de conserver votre chaleur. Gardez en tout temps dans le fond de votre sac une tuque et une paire de petits gants de course. Ils prennent peu de place et vous les apprécierez grandement en période d'attente, certains jours.

## PRÉVOIR DES VÊTEMENTS DE RECHANGE

Il est toujours agréable, et souvent nécessaire, selon la météo, de retrouver ses vêtements secs après la compétition. Un bon chandail chaud, une bonne paire de chaussettes, des chaussures confortables... Ça se résume parfois à ça, le bonheur! Prévoyez une serviette et vos effets de toilette pour prendre une douche sur place, si les installations le permettent.

## AUTRES ARTICLES À NE PAS OUBLIER

Ayez avec vous une petite trousse de soins pour parer à divers problèmes. Les pansements adhésifs pour les ampoules aux pieds, la crème antifrottement pour prévenir les irritations au niveau des cuisses et la crème solaire sont des musts.

Est-il nécessaire de vous rappeler de ne pas oublier votre dossard de course officiel?

Des verres fumés, de petites épingles de rechange pour votre dossard (horreur... l'enveloppe d'inscription est vide!), votre téléphone et votre musique, une barre énergétique si le goûter des organisateurs n'a pas suffi... Le contenu optionnel de votre sac dépend de vous. La bouteille d'eau ou votre boisson sportive préférée complète la liste.

Votre sac bien rempli, vous aurez un maximum d'autonomie avant le départ de votre épreuve. Vous pourrez ainsi mieux vous consacrer à votre échauffement d'avant course et vous concentrer sur votre objectif.

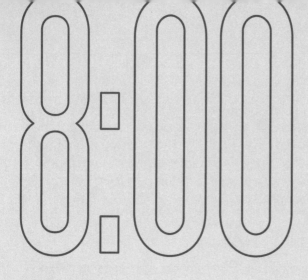

## LA COURSE
## AUX ACCESSOIRES

# COMMENT CHOISIR
# LES BONNES CHAUSSURES ?

**Les chaussures de course sont de loin la pièce d'équipement la plus importante pour les coureurs. Elles doivent avant tout être confortables et conçues pour éviter les blessures superficielles et structurales. Les chaussures ont une durée de vie de 500 à 900 km, selon leur type, votre poids, votre foulée et les surfaces de course utilisées. Voici les propos de Mathieu Giguère, de l'entreprise New Balance.**

Généralement, les coureurs achètent leurs chaussures de course dans une boutique spécialisée reconnue, dans le but avoué de recevoir les conseils d'un expert. Pour pouvoir satisfaire de telles attentes, ce conseiller doit pouvoir vous poser les bonnes questions et déterminer vos réels besoins en tant que coureur.

S'il travaille depuis quelques années dans le domaine et s'il a suivi l'évolution des produits, vous êtes entre bonnes mains. Ce conseiller a une perspective générale du domaine et le recul qu'il faut pour vous conseiller le meilleur produit possible.

L'achat en ligne d'un produit spécifique à la course n'est pas recommandé, à moins que vous soyez à la recherche d'un modèle en particulier ou identique aux chaussures que vous utilisez déjà. Le choix d'un produit de course est aussi de nature kinesthésique, c'est-à-dire qu'il fait appel aux sensations. Impossible à valider sur Internet !

## LES QUESTIONS À SE FAIRE POSER

Votre conseiller devra vous demander depuis combien d'années vous pratiquez la course à pied et quel est votre niveau de performance actuel, en temps et en distance.

Il devra s'informer sur vos objectifs à court et à moyen termes, ainsi que du type d'entraînement que vous suivez : sur piste, sur route ou en sentier. Il devra aussi connaître le type de surface sur lequel vous courez et la durée de vos entraînements. Tous ces éléments sont déterminants pour qu'il puisse vous suggérer la meilleure chaussure.

Avant de faire un achat, il est recommandé d'apporter vos vieilles chaussures en magasin pour vérifier le type d'usure qu'elles ont subi. Cela permettra à votre conseiller de comprendre ce qui allait et ce qui n'allait pas avec vos anciennes chaussures.

## COMMENT SAVOIR QUE LES CHAUSSURES DEMEURERONT CONFORTABLES ?

Cela tient de l'évidence, les chaussures doivent avant tout être confortables. Mais le confort, qu'est-ce que c'est, au juste ? Tout dépend du genre de coureur que vous êtes.

Pour certains coureurs moins efficaces sur le plan de la foulée, des chaussures plus robustes constituent un facteur de protection important. Chez eux, lorsque la fatigue s'installe et que le niveau d'efficacité diminue, la durée du contact du pied avec le sol augmente. Si vous êtes débutant ou si vous êtes conscient d'avoir un pas de course qui s'alourdit selon le niveau de fatigue atteint à l'entraînement ou en compétition, optez pour les chaussures solides que vous proposera votre conseiller.

Pour d'autres coureurs ayant une foulée plus efficace, les chaussures jouent davantage un rôle de compensation quand la fatigue s'installe en fin de parcours. Par la légèreté de leur construction, elles aideront à minimiser malgré tout la durée de contact avec le sol.

Mais on ne s'attaque pas tous les jours à des fins de parcours épuisantes. Je recommande d'ailleurs aux coureurs de varier les situations de course, les distances des épreuves et les rythmes adoptés. Peut-on donc songer, si on en a les moyens, à posséder plus d'une paire de chaussures, à utiliser en fonction du contexte? Oui, ça existe, et ça s'appelle une «stratégie de chaussures».

## MAIS ALORS, S'ENTRAÎNER AVEC DIFFÉRENTS MODÈLES DE CHAUSSURES, C'EST MIEUX?

Ce n'est pas obligatoire! Dans le cadre d'une stratégie de chaussures, oui, il peut être très intéressant de maximiser son efficacité et son confort dans différentes circonstances d'utilisation.

Par contre, certains coureurs ont plus de mal à s'ajuster en passant d'une catégorie de produit à une autre. Voilà pourquoi il faut respecter une période d'adaptation si l'on veut éviter les blessures. N'augmentez que graduellement la durée d'utilisation de vos nouvelles chaussures, si elles sont d'un type qui ne vous est pas familier, pour permettre à votre corps de s'y adapter sur tous les plans: musculaire, squelettique et moteur.

C'est une question de patience et de progression bien contrôlée!

## QUE PENSER DES CHAUSSURES MINIMALISTES?

Ces dernières années, on a constaté chez certains un désir de courir des distances de plus en plus longues tout en étant de moins en moins chaussé. Depuis deux ans, toutefois, une certaine modération quant à l'utilisation des chaussures minimalistes semble se manifester. L'expérience ne semble pas avoir été concluante pour tous.

Je ne dis pas qu'une mode est en train de passer ou que le concept est rejeté, mais disons qu'un équilibre semble s'installer. On peut être croyant sans être pratiquant! En d'autres mots, on peut concevoir que c'est génial pour certains, mais que ça ne convient pas nécessairement à tout le monde.

Il ne serait donc pas surprenant qu'au cours des prochaines années, les produits et les modèles minimalistes soient moins abondants chez les détaillants de chaussures. Mais l'option demeurera. Alors, minimaliste ou pas?

Je suis tout à fait enclin à accepter qu'avec de l'encadrement et du travail, le recours aux chaussures minimalistes peut convenir à une démarche très spécifique de développement d'un meilleur enchaînement des mouvements. Mais de là à en faire ses chaussures pour tout faire, celles qu'on utilise en toutes circonstances, il y a matière à débat. La stratégie de chaussures prend alors toute son importance : il est plus prudent de se chausser en fonction des conditions qu'on s'apprête à affronter.

## LES CHAUSSURES PLUS LÉGÈRES SONT-ELLES RECOMMANDÉES?

Au fil des années, avec l'augmentation du nombre d'adeptes, les produits plus légers et plus flexibles, mais pas nécessairement minimalistes, sont de plus en plus appréciés. Ainsi, les *racing flat* ou les *light trainer* sont des compromis entre le minimalisme et les chaussures plus traditionnelles. Une fois encore, la question se pose : est-ce bon pour tous? Non. Mais quand ça va, peut-on les utiliser tout le temps, puisqu'elles sont un compromis? Non plus.

Alors, ces produits sont-ils à utiliser dans le cadre d'une stratégie de chaussures? On ne peut rien vous cacher! Oui, certainement. Ce type de chaussures s'adresse à ceux qui ont développé, en entraînement de vitesse sur route ou sur piste, leur capacité à se propulser en fonction de la pause du pied au sol.

Pour les coureurs qui participent régulièrement à des épreuves sur 5 km et de 10 km, ces chaussures plus performantes sont un bon choix. Mais pour un marathon, ce n'est peut-être pas la meilleure solution. Vous devez tenir compte de l'apparition prévisible de la fatigue et de la perte d'efficacité au cours de l'épreuve. À partir de là, de telles chaussures n'auront pas la même capacité de vous protéger.

# LA MONTRE INTELLIGENTE EST-ELLE INDISPENSABLE AU COUREUR ?

**Au cours des dernières années, les appareils dotés d'un GPS (téléphones et montres) sont devenus très populaires chez les coureurs de tous les niveaux, mais ce sont leurs pièces d'équipement les plus coûteuses. À partir des expériences vécues par les coureurs Marc Lortie et Alain Rivard, nous allons explorer les aspects à considérer pour faire un choix éclairé.**

Pourquoi s'entraîner avec un appareil doté d'un GPS ? L'objectif premier n'est-il pas de courir au bon rythme ?

Cet appareil permet de courir à l'entraînement et en compétition à des rythmes précis, au niveau du temps au kilomètre ou de la distance à l'heure. En respectant les rythmes proposés dans un programme d'entraînement, cela évite de courir un peu trop vite et de subir à moyen terme les effets du surentraînement.

Y a-t-il d'autres façons de s'en tirer sans GPS ? Il y a toujours l'option de vous fixer des repères à chaque kilomètre de vos parcours d'entraînement et de vous chronométrer avec une bonne vieille montre. Ça demeure une façon simple de fonctionner à moindre coût. D'autres sont passés par là, vous vous en doutez bien, au cours des dernières décennies !

## TÉLÉPHONE INTELLIGENT OU MONTRE GPS ?

Qui n'utilise pas déjà un téléphone intelligent dans la vie de tous les jours ? Faire un court trajet en transport en commun, par exemple, et regarder autour de soi, c'est constater qu'aujourd'hui la question se pose à peine. Or, à l'aide d'un simple téléchargement d'application conçue pour la course à pied, vous serez en mesure d'obtenir des données intéressantes à l'entraînement, pour ce qui est de votre rythme et de la durée de votre effort.

Mais, à la longue, avouons-le, cela peut devenir contraignant de tenir son téléphone à la main et de consulter à l'écran son rythme d'entraînement pendant toute la durée d'une séance. Les coureurs qui s'entraînent régulièrement, soit quatre à cinq fois par semaine, opteront sans doute pour la montre GPS, plus pratique, plus légère et moins encombrante que le téléphone.

## COMMENT CHOISIR LA BONNE MONTRE ?

Pour commencer, prenez le temps de bien définir vos besoins et faites quelques recherches pour connaître les différents produits offerts. Discutez ensuite avec des coureurs utilisateurs qui seront en mesure de vous éclairer un peu plus sur le sujet.

Lorsque vous aurez bien défini vos besoins ainsi que votre budget, il sera important de vous assurer d'obtenir des conseils éclairés de la part d'un bon vendeur. Rendez-vous dans une boutique réputée. Demandez à parler à un conseiller lui-même utilisateur. Ça compte tout de même : il faut prévoir de 100 $ à 700 $ pour l'acquisition d'une montre équipée d'un GPS.

Vous préférerez peut-être une montre conçue précisément pour la course à pied. D'autres modèles sont destinés aux triathlètes et comportent des fonctions pour la natation et le vélo. Y tenez-vous et accepterez-vous de dépenser un peu plus ? Pensez bien à l'utilisation que vous ferez de votre appareil. Vous ne le remplacerez pas chaque fois que vous changerez de souliers de course !

## LES AVANTAGES

Pour les *techies,* la montre intelligente sera toujours une source de plaisir et d'émerveillement. De là à ce que courir devienne une justification pour en avoir une... Blague à part, la montre GPS peut s'avérer un outil très intéressant pour votre développement.

Vous pourrez y programmer votre entraînement. Votre montre fera le reste, vous signalant les changements de rythme au cours de votre séance. Inévitablement, vous serez ensuite porté à analyser vos données, sur la montre ou à l'ordinateur sur lequel vous les aurez transférées. Rien de tel pour vérifier si vous avez couru au bon rythme, et, sur une plus longue période, si vous progressez.

En plus de vous permettre de gérer avec précision la durée de vos entraînements et les rythmes de course qu'ils comportent, la montre vous accompagne, littéralement, en compétition. Il est toutefois révélateur de constater que plusieurs coureurs d'élite n'utilisent pas du tout la montre GPS. Évitez donc de ne compter que sur ce seul outil pour doser vos efforts, mais, oui, il peut vous aider à atteindre un objectif de performance. Un lapin portatif, quoi!

Pensez-y en compilant vos kilomètres, vous pourrez aussi calculer l'usure de vos chaussures. Et minimiser celle-ci si jamais vous vous égarez sur un parcours peu familier! Votre «petit poucet» de montre a tout ce qu'il faut pour vous permettre de revenir sur vos pas.

## LES INCONVÉNIENTS

Les montres ne sont pas parfaites, c'est vrai. Par exemple, elles peuvent parfois prendre quelques minutes avant de se synchroniser avec un réseau de satellites. Vous ragerez si cela vous arrive dans les secondes précédant le départ d'une épreuve. À vous de prévoir!

Un ciel bouché ou votre emplacement en forêt, sous un couvert feuillu, peuvent aussi parfois brouiller l'acquisition des données par le GPS et influencer le contenu affiché. Pas grand-chose à faire dans ces cas-là.

Dans l'obscurité ou par très mauvais temps, et malgré le rétroéclairage de l'écran, il peut parfois être difficile de lire les données en situation de course. Sur certains modèles, les chiffres sont petits. Magasinez.

Mais vous vous en voudrez si vous oubliez de recharger votre montre la veille d'une longue sortie ou d'une compétition. On ne peut tout de même pas accuser une montre de tous les maux!

Prenez le temps de bien vous familiariser avec le fonctionnement de votre nouvelle montre. Cela peut parfois demander un peu d'adaptation, mais par la suite, votre appareil vous rendra de fiers services dans la plupart des conditions.

# QUELS SONT LES AVANTAGES ET LES INCONVÉNIENTS DU TAPIS ROULANT ?

-8:03——

**S'entraîner sur tapis roulant est une pratique très répandue qui comporte des bénéfices, entre autres sur le plan de la sécurité. Le tapis roulant est aujourd'hui un appareil accessible et indispensable dans tous les gymnases, les centres de conditionnement physique et les hôtels de toutes classes. De plus en plus de coureurs en possèdent d'ailleurs un à la maison.**

Pour un athlète d'expérience, courir à l'extérieur devrait toujours être la priorité, peu importe la saison. Mais l'utilisation occasionnelle d'un tapis roulant présente plusieurs avantages, et quelques inconvénients, tant pour le débutant que pour le coureur confirmé.

## LES AVANTAGES

Utiliser un tapis roulant est avantageux pour un coureur dans la mesure où il le fait sur une base temporaire pour éviter, dans certaines circonstances, les contraintes de la course à l'extérieur.

C'est évidemment quand les conditions climatiques deviennent difficiles que cette option va de soi. En hiver surtout, quand le froid, le vent et la neige rendent la course difficile. Mais le pire ennemi du coureur, c'est le risque de chute sur une surface glacée.

Si vous courez en soirée, le tapis roulant est une excellente option sur le plan sécuritaire. Cela est d'autant plus vrai quand vous habitez à l'extérieur des grands centres et que vous entraînez sur des parcours mal éclairés, accidentés ou isolés.

Plus généralement, les coureurs débutants ou ceux qui se remettent d'une blessure, par exemple, mettront à profit le tapis roulant pour commencer à s'entraîner en douceur, en alternant la marche et la course dans des conditions idéales.

Cet appareil peut aussi rendre des services à ceux qui manquent de temps ou qui, certains jours, n'ont prévu que 30 petites minutes à leur programme. Dans ces cas-là, c'est un bon moyen pour maintenir une régularité dans son entraînement. Et vous savez que la régularité à l'entraînement, c'est payant!

## LES INCONVÉNIENTS

Lorsque revient le beau temps, plusieurs coureurs ont de la difficulté à quitter leur tapis roulant et à sortir de leur zone de confort. C'est là le risque!

Rien ne remplace l'entraînement à l'extérieur pour conditionner le coureur à son environnement, avec ses vents de face, ses surfaces irrégulières, ses légères dénivellations, et j'en passe. Rien ne peut remplacer non plus les joies de simplement aller courir dehors.

Aux adeptes du tapis roulant qui veulent participer avec succès à des compétitions, je recommande donc d'alterner, l'hiver, entre le tapis roulant en semaine et les sorties à l'extérieur le week-end. Les conditions ne sont pas toujours exécrables. Courir l'hiver à -5°C par temps ensoleillé, c'est quand même agréable!

## L'INCLINAISON SUGGÉRÉE EST DE 1 %

Nous recommandons généralement une inclinaison de 1%, ce qui se rapproche des effets de l'entraînement extérieur. Si vous décidez d'augmenter le niveau de difficulté sur le tapis, il est préférable d'augmenter votre vitesse plutôt que l'inclinaison. Une inclinaison dépassant 3% peut vous occasionner des petits problèmes aux tendons d'Achille.

# COURIR AVEC UN BABY JOGGER^MD, EST-CE COURIR ?

**Ce fameux chariot est une véritable révélation dans le monde de la course à pied. Cet outil permet à des milliers de parents de composer avec les contraintes d'un horaire chargé et de continuer à s'entraîner. Voici quelques propos recueillis à ce sujet auprès d'un coureur utilisateur de longue date, Steve Sinki.**

Très pratique pour les petites familles actives, le chariot Baby Jogger^MD permet de se déplacer au cours d'une activité sportive ou de plein air. En plus d'être confortable pour l'enfant, ce chariot se déplace aussi facilement qu'un vélo grâce à ses grandes roues et à sa légèreté.

## LE BONHEUR DES PASSAGERS À BORD D'ABORD !

L'objectif premier est de rendre les sorties agréables pour l'enfant, d'abord grâce au confort qu'offre le chariot. Il est important de considérer ce qu'offre le modèle qu'on se propose d'acheter sur le plan du rembourrage des sièges, de l'ajustement des ceintures, de la suspension et de l'espace disponible. Malgré leur prix, il ne faut donc pas écarter d'emblée les produits de qualité supérieure.

Ensuite, il faut bien prendre le temps d'être avec l'enfant dans ce type d'activité. Après tout, ce n'est pas qu'une séance d'entraînement, c'est avant tout une activité intergénérationnelle favorisant une relation privilégiée. Communiquez, même en mouvement : donnez l'occasion à votre enfant de s'exprimer sur les sujets du jour et d'être avec vous.

Il faut aussi penser à occuper son passager, après tout captif! Jeux, jouets et livres vont de soi, selon l'âge de l'enfant. Le cinéma mobile est de nos jours tout ce qu'il y a de plus accessible avec n'importe quelle tablette. Certains coureurs font de leur petit passager un gérant chargé de chronométrer les étapes de la sortie, intervalles compris!

## À QUEL RYTHME COURIR ?

Oui, il est possible de s'entraîner avec un chariot. Un bon indicateur pour évaluer l'effort dans ces conditions est le rythme cardiaque (le vôtre, bien sûr). En effet, il est difficile d'établir une règle ou une vitesse précise à l'entraînement lorsqu'on a un chariot dans les jambes ! Il ne faut surtout pas s'entêter à essayer de suivre le rythme que vous avez à l'entraînement sans chariot. À effort égal, il faut concéder autour de 10 % de performance, ce qui représente une diminution d'une trentaine de secondes au kilomètre.

Dans certaines conditions, cette diminution de rythme peut aller jusqu'à 20 %, soit environ une minute à chacun des kilomètres parcourus. Les conditions climatiques, les côtes, les surfaces moins rapides comme le gazon, la terre battue ou la neige, sans oublier le poids de votre enfant et votre niveau de fatigue, entrent en ligne de compte.

## LES INCONVÉNIENTS

Il y en a, inévitablement : en premier lieu, la grosseur de l'appareil. Il est encombrant et embête certains cyclistes sur les pistes cyclables ou les sentiers polyvalents. Ils doivent le contourner, les pauvres.

Utiliser ce chariot en hiver lorsque le sol est enneigé ou glacé peut rapidement devenir désagréable. Si vous avez de la difficulté à avancer, n'hésitez pas à faire demi-tour. En revanche, si votre enfant est toujours partant, sortez le traîneau !

Dernier inconvénient, la pause pipi ! Pas toujours évident dans un endroit public, mais ça ne l'est jamais, chariot ou pas ! On voudra bien sûr prévoir un moyen de cadenasser son matériel, selon les circonstances et l'endroit.

## L'ENTRETIEN

C'est un peu comme un vélo : l'entretien est important et cela aura un effet direct sur la durée de vie du chariot. Peu importe la gamme, un entretien minimal est de rigueur. Il faut s'assurer d'une pression adéquate des pneus, vérifier les rayons des roues et

bien graisser les roulements. Mais puisqu'il y a peu de pièces mé-
caniques, l'entretien est beaucoup plus simple que celui d'un vélo.

Bonne piste... cyclable !

# 9:00

## D'AUTRES
## BONNES QUESTIONS
## QUE VOUS ME POSEZ

# QUAND ON ME QUESTIONNE SUR MON SPORT, QUELS CONSEILS PUIS-JE DONNER?

**En pratiquant la course à pied sur une base régulière, vous ajoutez forcément une nouvelle dimension à votre vie et à la façon dont les autres vous voient... à moins que vous ne couriez clandestinement! Sinon, plus vous serez assidu, plus le qualificatif de coureur fera partie de votre profil. À la longue, vos proches, vos amis ou vos collègues vous poseront des questions et vous demanderont parfois conseil.**

Le plus souvent, c'est au fil des conversations qu'on vous posera des questions, parfois anodines comme «Où as-tu acheté tes vêtements de course?» ou encore le fameux «Cours-tu dehors même l'hiver?». Jusque-là, ça va. Mais parfois, les questions peuvent être, disons-le, plus embêtantes ou délicates. «Connais-tu quelqu'un, j'ai cette blessure qui persiste, as-tu un truc, j'ai quelque chose qui me dérange là quand je cours, je suis bloqué en haut de tel temps au 10 km, comment tu as fait, toi, pour t'améliorer?»

Et puis, il y a les grandes questions, celles auxquelles il faudrait idéalement prendre le temps de réfléchir. «J'aimerais me mettre à courir, peux-tu me dire par où commencer?» Mais ces questions vous arrivent souvent à l'improviste, d'où l'intérêt de répondre du tac au tac et avec précision. Vous voulez rendre service, après tout! Et peut-être aussi soigner votre image, un peu.

206 LE COACH RÉPOND À VOS QUESTIONS SUR LA COURSE À PIED

Bien sûr, il y a toujours la possibilité de recommander à votre interlocuteur de consulter *Le coach répond à vos questions*, surtout si ce dernier a à son actif d'autres publications du genre *Courir au bon rythme*. Clin d'œil mis à part, le marché regorge de bons textes de référence qu'il vaut la peine de consulter si l'on a l'intention de consacrer une bonne dose d'énergie à une activité comme la course.

## POUR COMMENCER

Insistez sur l'importance d'être bien chaussé en course à pied. On ne le dira jamais assez. Comme vous le savez très bien, les chaussures sont la pièce d'équipement essentielle pour le coureur. Vous aurez à convaincre de ne pas tarder à acheter une bonne paire de chaussures de course et de ne pas négliger de la remplacer sur une base régulière par la suite. Plusieurs débutants ne sont pas conscients de l'importance de cet achat.

## PROGRAMME, PROGRAMME

Lorsque vous sentez qu'il y a un intérêt en ce sens, suggérez au novice qui vous aborde la notion de programme d'entraînement. Cela n'a pas besoin de faire peur ou de paraître contraignant. Plusieurs programmes d'entraînements existent, des plus modérés aux plus exigeants. Un programme doit convenir à celui qui l'adopte, non le contraire! Donnez comme exemple ce qui a fonctionné pour vous.

Mais surtout, si celui ou celle qui vous questionne aspire à performer, insistez sur le fait que l'improvisation n'est jamais une formule gagnante, surtout chez un coureur débutant.

## PARTAGEZ VOTRE EXPÉRIENCE

Vous avez un pouvoir d'influence et votre crédibilité ne sera aucunement diminuée si vous êtes capable d'évoquer vos erreurs du passé, bien au contraire. Qui n'en a pas fait? Et n'est-ce pas là, au fond, une des meilleures sources d'apprentissage?

Le débutant est à la base un être très motivé qui a tendance à en faire trop. Il faut savoir calmer ses ardeurs, mais sans lui enlever ses rêves. En l'orientant vers un programme d'entraînement à sa mesure, il aura un cadre précis à suivre, avec un plancher et un plafond à respecter relativement à son niveau d'effort.

Les erreurs du débutant se résument à trois choses : courir trop vite, courir trop longtemps et courir trop souvent !

### LES TROIS PREMIERS MOIS

Passé le cap des trois premiers mois de course à pied, il y a de bonnes chances que l'offre alléchante d'épreuves populaires se mette à interpeller le nouveau coureur. Mais, encore là, par où et surtout par quoi commencer ? Il y a de bons choix qui s'imposent au début, notamment en ce qui concerne le nombre de compétitions et les distances à apprivoiser. Conseillez la modération.

Que les circonstances fassent de vous une personne-ressource, un mentor ou même un ambassadeur de votre sport, vous pouvez en aider d'autres à éviter les blessures ou les problèmes reliés au surentraînement. Et à tirer un maximum de plaisir de la course à pied !

Votre contribution aura permis à un nouveau coureur de découvrir une nouvelle passion !

9:02

# J'AIMERAIS DEVENIR ENTRAÎNEUR, COMMENT M'Y PRENDRE ?

Le métier d'entraîneur est à la fois excitant et exigeant. Au cours de sa carrière, l'entraîneur sera témoin de belles victoires, mais il vivra aussi quelques échecs. La préparation et la supervision des entraînements, les résultats de ses athlètes et la gestion de leurs compétitions seront bien sûr au centre de ses préoccupations, mais le plan humain prendra aussi toute son importance et lui fera vivre une expérience riche, mais parfois complexe. Cela dit, si vous avez la passion de la course et le goût de la partager, vous pouvez songer à devenir entraîneur.

Il y a bien des façons de débuter comme entraîneur. S'inscrire au Programme national de certification des entraîneurs (PNCE) d'Athlétisme Canada en est un. Il n'y a pas de contrôle du métier d'entraîneur comme tel au Canada, mais une telle certification vous donnera une base solide et de la crédibilité. Ce programme est axé sur les compétences et exige des candidats qu'ils se soumettent à une évaluation dans un contexte de vrai travail d'entraînement. Ainsi, ils doivent être inscrits auprès d'un organisme sportif au sein duquel ils travaillent pour subir les évaluations.

S'associer à un club d'athlétisme ou de course sur route reconnu et mener une telle démarche est donc un excellent moyen de faire ses premiers pas. Vous pourriez aussi répondre à un besoin tout en garnissant votre CV dans un centre de loisirs municipal ou dans le cadre d'une activité parascolaire d'une école de votre région. Les centres sportifs ont chacun leur équipe d'entraîneurs aux compétences diverses. Aussi, plusieurs boutiques spécialisées organisent des ateliers de course et animent des miniclubs encadrés par deux ou trois coureurs d'expérience.

## QUELQUES QUESTIONS À SE POSER AVANT DE COMMENCER

Quel type de clientèle aimeriez-vous entraîner ? Enfants, adolescents ou adultes ? Quel est votre niveau d'expérience ? Sans parler de performance, avez-vous accumulé du kilométrage en course à pied ? Avez-vous une certaine formation ? Quelles sont vos compétences ?

Si vous êtes sans expérience dans le domaine, une option intéressante s'offre à vous : commencer comme adjoint d'un entraîneur expérimenté. Vous apprendrez vite, sur le terrain.

Si vous décidez d'y aller en solo, il est recommandé de vous trouver un mentor ou une personne-ressource qui vous guidera durant les premiers mois pour valider vos décisions et ainsi vous éviter certaines erreurs de débutant.

En parallèle, si vous le désirez, il est toujours possible de vous prévaloir d'une formation officielle, comme celle du PNCE.

## UNE SUGGESTION POUR LE FUTUR ENTRAÎNEUR

Assurez-vous de recevoir une certaine rémunération pour vos services ou pour vos frais de déplacement. D'une part, cela officialisera votre statut et votre présence régulière à chaque entraînement. En contrepartie, cela vous obligera à respecter votre engagement auprès de l'organisation qui vous fait confiance. En cas d'absence, un petit budget prévu pour les remplaçants évitera les situations fâcheuses.

Les entraîneurs qui sont 100 % bénévoles ne font pas une longue carrière, à moins d'être indépendants financièrement. On remarque aussi que plusieurs jeunes abandonnent à la venue de la petite famille.

## ENTRAÎNER, C'EST AUSSI PLANIFIER

Le temps de préparation avant l'entraînement est souvent plus important que le temps consacré à le superviser. En plus de planifier les séances, l'entraîneur doit aussi prendre le temps de répondre aux questions de ses athlètes et s'occuper d'une foule d'autres priorités : affilier ses athlètes à la Fédération, planifier le calendrier des prochaines compétitions et payer les inscriptions, prévoir le transport et l'hébergement, et j'en passe.

N'oubliez pas que le métier d'entraîneur est une aventure à long terme. Vos coureurs, dans bien des cas, vont s'associer à vous pour plusieurs années et vous serez dans l'obligation de respecter votre engagement. Difficile, dans ces conditions, de prendre ne serait-ce qu'une seule année sabbatique en cours de route. Vous avez signé un contrat moral avec vos athlètes.

Par contre, assurez-vous d'avoir des moments pour vous réserver quelques pauses durant l'année. Vous devez vous ressourcer et prendre le temps de penser à autre chose. Plusieurs entraîneurs qui débutent dans le domaine négligent cet aspect important. Leur enthousiasme de débutant prend le dessus sur le calendrier. Si vous voulez durer et garder le rythme à long terme, les pauses durant l'année seront une nécessité.

## LES COMPÉTITIONS ET LES VOYAGES

Si vous voulez devenir entraîneur, vous devrez aimer voyager pour ainsi accompagner vos athlètes aux compétitions. Les voyages peuvent varier en fonction du niveau de vos athlètes. Il y a des compétitions d'athlétisme et de course sur route un peu partout, dans votre ville, en région, en province, ailleurs au pays ou encore dans le monde. Tout entraîneur doit s'assurer d'avoir un passeport à jour, au cas où.

Les voyages sont une excellente source de motivation, tant pour l'entraîneur que pour l'athlète. Peu importe votre niveau, comme entraîneur ou comme coureur, il y aura toujours une ville quelque part qui saura vous séduire par l'ampleur de son événement. Il est de ces endroits qui vous font tomber sous leur charme. Vous y trouverez aussi l'énergie et la poussée nécessaires pour atteindre vos objectifs.

## ÊTRE ENTRAÎNEUR DEMEURE UNE BELLE AVENTURE

La vie d'entraîneur demeure avant tout une belle aventure, mais c'est aussi un engagement. Il faut avoir le goût de donner sans trop comptabiliser son temps. En retour, nous, les entraîneurs, recevons beaucoup et cela nous permet de vivre des expériences humaines très enrichissantes.

# J'AIMERAIS DONNER UN PEU DE MON TEMPS AU SPORT QUE J'AIME, COMMENT FAIRE ?

**Vous pratiquez la course à pied depuis plusieurs années et vous avez eu l'occasion de participer à plusieurs compétitions, même de vivre des moments mémorables. Vous avez vécu votre passion et vous vous êtes lié à des gens qui sont devenus des amis pour toujours. Avec le recul, vous finissez par constater que vous avez beaucoup reçu en pratiquant votre sport préféré !**

Effectivement, vous avez reçu. Sans l'engagement actif des nombreux bénévoles dévoués à votre sport, il aurait été impensable de vivre autant d'expériences enrichissantes. C'est en partie grâce au travail acharné des bénévoles que vous vous êtes développé sur le plan personnel.

Ah ! Vous avez maintenant le goût de redonner ? Vous avez cheminé. Vous vous sentez maintenant comme un boxeur, plus enclin à donner qu'à recevoir ! Œuvrer comme bénévole est sans aucun doute une des plus belles façons de redonner à son milieu.

En plus, l'expérience que vous possédez dans votre sport va sans aucun doute contribuer au succès de votre participation bénévole. C'est le cas de plusieurs anciens athlètes devenus des bénévoles très engagés. Il m'est même arrivé d'en rencontrer qui gagnent aujourd'hui leur vie dans le domaine du sport après avoir agi comme bénévoles il y a quelques années.

## LES TÂCHES SONT NOMBREUSES !

Les tâches ne manquent pas et surprennent même par leur nombre et leur variété : entraîneur auprès des jeunes ou des adultes, officiel, arbitre, préposé, coordonnateur ou chef d'équipe lors d'événements, accompagnateur au contrôle antidopage (aussi !), administrateur de club ou d'association sportive, publiciste, webmestre, rédacteur, collecteur de fonds, agent de relations publiques, et j'en passe! Et que feraient tous ces gens sans le trésorier?

Mais qu'est-ce qui les motive donc à s'engager, pour commencer? La majorité de ces personnes sont toujours aussi passionnées du sport qu'elles encadrent que lorsqu'elles le pratiquaient. Souvent, cela vaut aussi pour celles qui ne l'ont même jamais essayé. Chaque discipline est un monde sur lequel il y a une quantité surprenante de choses à apprendre. Quand on est bénévole, on est aux premières loges.

Et on a du plaisir! Il est rare de voir une organisation fonctionner à plein régime grâce à des bénévoles malheureux! Ou bien ils ne resteront pas longtemps, ou bien l'organisation qui les emploie a une espérance de vie très courte.

Expérimenté ou pas, pourquoi seriez-vous donc bénévole dans le milieu du sport amateur?

## LE DÉSIR D'APPRENDRE

Vous allez travailler en équipe et rencontrer des camarades qui ont les mêmes objectifs que vous. Il est toujours stimulant et formateur de réaliser un projet commun dans une ambiance de groupe.

Le fait d'apprendre de nouvelles tâches et d'acquérir de nouvelles compétences vous permettra en même temps d'élargir vos horizons. Il y a des boulots qui n'offrent pas ça tous les jours.

Vous éprouverez un sentiment d'accomplissement en aidant les gens à se réaliser et en transmettant votre passion aux autres. Ce don de votre temps permettra à une organisation sportive d'accomplir sa mission de promouvoir l'activité sportive dans son milieu.

Et qui sait? De façon directe ou indirecte, modestement ou de façon décisive, votre engagement bénévole aura sans doute un effet sur la vie de plus d'un athlète.

# COMMENT M'Y PRENDRE POUR ORGANISER UNE COURSE SUR ROUTE DANS MA LOCALITÉ ?

**Vous songez à organiser une course sur route dans votre localité ou à participer de près à une telle entreprise ? C'est un projet très louable. Voici quelques recommandations concernant les étapes à suivre avant de vous lancer pour de bon dans cette aventure.**

L'organisation d'une course sur route peut à première vue sembler facile à mettre sur pied, peut-être à cause de la fluidité observée dans les nombreux événements de ce type qui ont lieu chaque année. Il faut croire que les organisations ont du métier !

Si vous avez un projet semblable, attendez-vous à investir un peu de votre temps. La réalité peut différer sensiblement des perceptions qu'on a au début. Créer un événement dans sa localité, c'est comme lancer sa propre entreprise. Il faut prendre le temps nécessaire pour bien ficeler toutes les particularités du projet, jusqu'à sa réalisation.

## FORMER UN COMITÉ

Contactez d'abord votre fédération sportive, en l'occurrence la Fédération québécoise d'athlétisme. Elle a pour rôle de vous aider dans vos démarches, de vous fournir de l'information et de sanctionner votre événement pour que votre course, son parcours, ses résultats et le reste soient reconnus officiellement.

La deuxième étape consiste à former un petit comité formé de gens que vous connaissez et qui sont des passionnés de course à pied, comme vous. Si votre comité comprend des membres qui ont une certaine expérience en organisation d'événement et qui sont déjà très engagés dans la communauté, cela sera un atout important.

Ensuite, vous aurez à déterminer avec quel organisme vous associer pour organiser l'événement : un club de course à pied ou d'athlétisme local, une association ou un club sportif de la municipalité ou encore une fondation reconnue dans la région. Ce qui importe, si vous espérez tenir de futures éditions de votre événement, c'est de vous associer dès la première année avec un organisme en lequel vous avez confiance et qui partage la même vision et les mêmes objectifs que votre comité organisateur.

## ÉVALUER TOUS LES ASPECTS DU PROJET

Par la suite, vous aurez à évaluer avec votre comité la faisabilité du projet, en tenant compte de plusieurs aspects. En voici quelques-uns.

Déterminez les dates potentielles pour tenir votre événement, en tenant compte des courses existant dans votre région. Il faut éviter que deux événements soient un peu trop rapprochés dans la même région, car cela pourrait vous nuire dans la promotion de votre compétition et dans la recherche de financement.

Trouvez le meilleur endroit dans votre municipalité où pourrait se dérouler votre événement en toute sécurité. Pour accueillir des centaines de coureurs, il faut s'assurer de disposer d'un lieu intéressant, où l'on trouve un grand parc, un stationnement accessible et un bâtiment public abritant une grande salle et des toilettes.

En connaissant le lieu du départ et celui de l'arrivée de votre épreuve, vous serez en mesure de concevoir un parcours provisoire. Assurez-vous d'avoir un parcours unique pour les prochaines années, qui sera attrayant pour tous vos participants.

Si vous pouvez créer un parcours en longeant les parcs, les sentiers et même, si possible, utiliser une piste cyclable, cela sera beaucoup plus facile à gérer sur le plan de la sécurité. L'utilisation des rues dans une municipalité est toujours très complexe, car il faut s'assurer que les citoyens ne seront pas coincés sur votre parcours la journée de la course. La municipalité et le service de police seront en mesure de vous conseiller à ce sujet.

Établissez un horaire du déroulement de l'événement et une thématique. La thématique de votre événement sera importante sur le plan marketing et auprès de vos commanditaires et partenaires. La famille devra aussi avoir une place de choix dans votre promotion. Tous les événements de course à pied organisent le traditionnel 1 km pour les enfants et il faut s'assurer que l'animation sera à son paroxysme lorsque les jeunes champions franchiront la ligne d'arrivée.

### ÉTABLIR UN BUDGET PRÉVISIONNEL

Le nerf de la guerre, c'est toujours l'argent. L'évaluation des dépenses et des services offerts aux coureurs lors de votre événement sera un élément déterminant pour établir les frais d'inscription. N'oubliez pas que dans la majorité des événements, la plus grande partie des revenus provient directement des frais d'inscription. Les autres revenus proviendront de commandites de services, de produits et d'argent. En retour, vous offrirez la meilleure visibilité possible à vos commanditaires et partenaires.

Lorsque la première ébauche de votre projet sera finalisée, vous devriez en présenter le contenu à une personne-ressource qui a déjà organisé un tel événement. Son opinion vous aidera à apporter de petits ajustements à votre planification ou à nuancer ou enrichir le contenu de votre dossier. Le soutien d'un tel mentor jusqu'au terme du projet vous aidera aussi à prendre des décisions plus éclairées et à épargner du temps précieux.

Soumettez enfin votre projet à la municipalité. Ça passe! C'est le début d'une belle aventure.

## 9:05 QUELS SONT LES AVANTAGES DE SE JOINDRE À UN CLUB?

Au Québec, la grande famille de l'athlétisme se compose de deux groupes distincts. Il y a d'une part les clubs d'athlétisme traditionnels, qui accueillent en grande majorité une clientèle de jeunes de 12 à 17 ans. Par ailleurs, de plus en plus populaires, les clubs

**de course sur route regroupent presque exclusivement une clientèle d'âge adulte. Donc, quel que soit votre âge, vous avez la possibilité de vous joindre à un club.**

Ces structures s'avèrent intéressantes pour l'expérience et l'encadrement que vous y trouverez. Ce sont des regroupements amateurs, mais il ne s'agit pas d'amateurisme, bien au contraire.

Plusieurs clubs d'athlétisme, présents dans bon nombre de municipalités au Québec, sont nés dans les années 1970, pendant la période des Jeux olympiques de Montréal. Les clubs de course sur route, pour leur part, doivent dans bien des cas leur existence au mouvement de ce que j'appelle la première vague de la course à pied, propulsée chez nous par les premières éditions du marathon de Montréal, à partir de 1979.

Il y a donc une certaine profondeur dans le petit monde de l'athlétisme et de la course sur route au Québec, dont vous pouvez bénéficier.

## CHEZ LES JEUNES

Chez les jeunes, adhérer à un club d'athlétisme demeure un incontournable pour leur développement. C'est la meilleure option pour qu'ils reçoivent un encadrement adéquat de la part d'intervenants compétents et pour qu'ils aient accès à une participation assidue à un réseau de compétitions structurées selon le niveau et le groupe d'âge.

Pour se joindre à un club, il y a deux possibilités : le club civil, souvent associé à une municipalité, et parfois même organisé par celle-ci, et le club scolaire, associé à une école, un collège ou une université. Il arrive parfois que les deux clubs travaillent en collaboration et même que certains athlètes soient à la fois membres de deux entités, civil et scolaire.

La mission première de bien des clubs civils est de développer l'athlète à long terme pour le préparer aux catégories junior et sénior, dans lesquelles il cherchera à atteindre le plus haut niveau possible de performance. La mission est différente pour les clubs scolaires, collégiaux et universitaires. Les athlètes sont associés sur une base temporaire aux équipes sportives de leur institution respective, et cela, dans un contexte de complémentarité, voire de soutien, au projet éducatif. Les programmes sport-études sont des projets pédagogiques particuliers qui poussent cette approche encore plus loin, au bénéfice de l'athlète talentueux.

## CHEZ LES PLUS VIEUX

Chez les adultes, c'est une réalité bien différente. Au Québec, environ 10 % des coureurs actifs font partie d'un club de course sur route ou encore d'un groupe d'entraînement informel. C'est beaucoup, quand on songe que le bassin total de coureurs mordus ou occasionnels tourne autour du million, selon quelques évaluations récentes. Fausse, la légende urbaine selon laquelle les clubs sont réservés à une certaine jeunesse ou à une certaine élite!

Au contraire, les clubs de course sur route sont en général très accessibles et prônent une philosophie récréative avant tout. Au-delà de la possibilité de courir en groupe peu importe votre niveau, ce qui est extrêmement intéressant, c'est que ces clubs offrent aussi de précieux services.

En général, les clubs de course à pied ont des entraîneurs d'expérience pour vous accueillir et vous offrir de l'encadrement. Ils ont à cœur de vous aider à développer vos aptitudes à court, à moyen et à long termes, tout en évitant le surentraînement.

Ils ont aussi l'obligation d'assurer une certaine variété dans le contenu de l'entraînement, pour la motivation. Toujours dans le registre de la motivation, les entraîneurs ont pour rôle de repérer des compétitions intéressantes et accessibles aux membres. Idéalement, ils en proposeront une, prioritaire et d'envergure, qui pourra tenir lieu d'événement de l'année au sein du club, celui en fonction duquel on s'entraîne collectivement au cours de la saison.

Les responsables du club auront enfin le souci constant de vous accueillir dans les meilleures installations sportives, selon les saisons.

La camaraderie, les belles amitiés nées d'une passion commune pour un sport, le sentiment d'appartenance et l'occasion de porter fièrement ses couleurs, voilà ce qu'un club peut aussi offrir. Une recette de bien-être !

# JE VEUX FONDER UN CLUB, PAR OÙ COMMENCER ?

9:06

**C'est sans doute une excellente idée et un beau projet que de mettre sur pied un club d'athlétisme ou de course sur route dans sa localité. C'est comme lancer sa propre entreprise ! C'est un défi intéressant que vous relèverez, mais qui exigera du temps et quelques recherches avant de vous lancer.**

Vous voulez un bon tuyau pour savoir où commencer ? La Ville. Les municipalités sont toujours très ouvertes aux gens qui sont prêts à investir de leur temps et de leur énergie pour faire bouger les jeunes et les moins jeunes du coin.

Fouillez l'historique de votre municipalité et de votre région concernant votre sport. Un club y a peut-être déjà existé dans un passé pas si lointain. Il en existe peut-être même déjà un, discret, dont vous ignoriez l'existence ! Que cela ne vous freine pas ; c'est simplement bon à savoir, histoire de collaborer peut-être, sinon de mieux cohabiter ! Peu importe la taille de votre communauté, il y aura toujours de la place pour votre projet.

Vous aurez peut-être aussi l'occasion, au cours de vos recherches, de rencontrer des gens qui ont déjà vécu une expérience semblable ou qui en auront été témoins. Les fonctionnaires municipaux sont de ce nombre. Leurs conseils n'ont pas de prix et vous éviteront peut-être de faire un ou deux faux pas, parfois même de suivre une fausse piste.

La Fédération québécoise d'athlétisme, bien sûr, peut elle aussi répondre à vos questions et vous informer sur les clubs affiliés présents dans votre région. Ce sera le moment propice, d'ailleurs, pour amorcer les démarches en vue de votre propre affiliation.

## JE SUIS PRÊT! PAR OÙ COMMENCER?

La première étape est de regrouper un minimum de trois personnes qui seront votre premier conseil d'administration. Un président (devinez qui), un secrétaire et un trésorier. Choisissez le nom de votre club (pas si simple), puis remplissez des formulaires.

## QUOI... DÉJÀ?

Effectivement, vous aurez avantage à vous enregistrer officiellement comme organisme sans but lucratif (OSBL). Cela vous permettra d'officialiser votre organisation auprès de la municipalité, laquelle vous offrira à partir de ce moment son soutien sur plusieurs plans (matériel, communications, etc.), pourvu que vous fassiez les démarches et usiez d'un peu de diplomatie. Eh oui! de la politique, il y en a partout!

Sachez aussi que le statut d'OSBL vous aidera à aller chercher du soutien au-delà de la municipalité, à recueillir des dons et à naviguer dans les eaux fiscales. Parce que de l'argent, y compris de l'argent liquide, vous en manipulerez! Donnez-vous des outils pour vous simplifier la vie.

Il sera important de repérer des lieux propices aux entraînements, et ce, pour les quatre saisons. À ne pas négliger: les services, dont des locaux avec vestiaires. Sur ce plan, la Ville pourra vous aider dans vos recherches. Outre l'usage de ses propres locaux, elle a aussi conclu des ententes avec certains organismes, les commissions scolaires par exemple.

N'oubliez pas de choisir les couleurs officielles de votre club et de créer votre logo. Ne sous-estimez pas ces éléments. Avec les années, ils seront votre image et votre marque de commerce.

## QUELQUES QUESTIONS QUE VOUS DEVEZ VOUS POSER

Soyons francs, presque tout ce que je viens de vous énumérer relève du pratico-pratique. Est-ce là la bonne façon d'aborder votre projet? Disons que j'aime bien parler de choses concrètes, car elles permettent de visualiser ce dans quoi on se lance, mais ce n'est pas suffisant. Avant de vous lancer pour de vrai, vous aurez à bien réfléchir aux fondements de votre projet, c'est-à-dire aux assises de votre club :

- Quels services offrirez-vous précisément?

- Allez-vous faire de l'athlétisme ou de la course sur route, ou les deux?

- Quel sera l'âge de votre clientèle?

- Aurez-vous des entraîneurs pour encadrer vos membres? Certains clubs sont plutôt des groupes amicaux et s'en passent.

- Si vous avez des entraîneurs, quels seront leurs qualifications, leur traitement et, surtout, leur statut? Dans bon nombre de clubs, les entraîneurs sont le moteur de l'organisation et ont une influence majeure sur les décisions.

- Quelle sera votre stratégie de promotion?

- Quelles seront vos sources de financement?

- Quelle sera votre politique de bénévolat?

- Et, à ne pas négliger, quelle sera votre mission? Vous seriez surpris de constater à quel point un retour à l'énoncé de la mission peut parfois aider à résoudre des dilemmes ou des conflits.

En mettant sur pied un club sportif dans votre région, vous contribuerez à la cause du sport tout en permettant à des gens de tous les âges de découvrir et de partager une passion commune. Mine de rien, vous mettrez en branle un mouvement local qui fera peut-être bouger des générations!

Fonder un club, c'est comme planter un arbre. Avec le temps, vous aurez une grande satisfaction lorsqu'il atteindra sa pleine maturité.

# ET SI JE PARRAINAIS UN ATHLÈTE OU UN CLUB ?

**Ça ne fait pas toujours les manchettes, mais il arrive à l'occasion que quelqu'un qui a connu du succès décide de redonner à la société. Ce genre de geste, apprécié, on s'en doute bien, est posé au profit de causes et d'organismes les plus variés. Les organismes sportifs et les athlètes de haut niveau sont trop peu souvent du nombre mais, mine de rien, cela permet parfois à certains d'entre eux de survivre et de poursuivre leur mission.**

Dans le monde du sport amateur tout comme dans celui du sport purement récréatif, le nerf de la guerre, c'est l'argent. Désolé de faire ce constat un peu cru, mais c'est vrai ; les contributions, ça compte !

## DONNEZ ET VOUS RECEVREZ ?

L'athlétisme et la course sur route sont pratiqués par plus d'un million de personnes au Québec. Pourtant, le financement sous toutes ses formes laisse à désirer, c'est le moins qu'on puisse dire. Depuis une trentaine d'années, les coupes gouvernementales ont diminué l'assiette financière des sports et loisirs, sauf pour quelques projets bien précis.

Les clubs et autres organismes doivent par conséquent rivaliser d'imagination pour se financer, et parfois rivaliser les uns avec les autres ! Campagnes de collecte de fonds, subventions, mécénat, rien n'est acquis.

On peut même avancer que deux grands milieux se disputent les ressources disponibles. D'un côté, le système de la santé et tout ce qui est mis en œuvre pour soigner et guérir et, de l'autre, tout ce qu'on peut associer à une démarche de prévention et de promotion des bonnes habitudes de vie : organismes de recherche, programmes éducatifs et, bien sûr, organisations sportives.

Chacun de ces milieux a son utilité, chacun donne et mérite de recevoir en retour. Mais soyons réalistes : pour ce qui est des clubs sportifs, le mécénat a encore du chemin à faire. Parrainer un athlète ou un club, ça ne semble pas évident.

## HISTOIRE VRAIE

Pourtant, on trouve quelques exemples de mécénat réussi. Voici ma petite histoire à moi concernant l'aide financière accordée à une athlète d'élite du Québec.

Dans les couloirs de l'hôpital Notre-Dame de Montréal, où je travaillais, j'ai fait en 2008 la connaissance d'une employée, une jeune femme de 24 ans qui avait entendu parler de mon travail d'entraîneur. Elle voulait s'initier à la course sur route en vue de faire un marathon, un jour.

Après quelques semaines d'entraînement au club, je me suis rendu compte qu'elle progressait très rapidement. J'ai eu l'idée de la faire participer à des courses sur piste, sur diverses distances, pour évaluer son potentiel. Après quelques compétitions, je constatai qu'elle était à seulement 1,5 s du standard de qualification au 800 m du Championnat canadien d'athlétisme. Trois courts mois d'entraînement plus tard, Karine Belleau-Béliveau terminait en seizième position de sa nouvelle spécialité à l'échelle nationale.

Devant cette progression, fulgurante il faut bien le dire, l'entraîneur (c'est moi !) a dû se mettre en mode élite. J'ai changé mon approche, délaissé le calendrier de compétition sur route que j'avais préparé et cherché des compétitions ailleurs au pays ou à l'étranger pour que Karine puisse courir avec des athlètes de sa discipline et de son calibre.

## UN CADEAU DU CIEL !

L'attention du journaliste Simon Drouin, de *La Presse*, a été attirée : il a publié un article, « *Le rêve d'une recrue tardive* », sur notre phénomène. Résultat, Karine m'a informé en décembre 2011 que quelqu'un souhaitant l'aider venait de l'appeler.

Quelques jours plus tard, Karine et moi rencontrions le président de Médiagrif, monsieur Claude Roy. Vous devinez la suite, sinon je ne serais pas en train de vous raconter cette histoire!

Avec le recul, je suis convaincu que sans son aide précieuse, Karine aurait eu un parcours beaucoup plus difficile. Atteindre le top 100 mondial alors qu'on a besoin d'un emploi à temps plein pour gagner sa vie, c'est mission impossible. Lorsqu'on affronte les meilleurs au monde dans sa discipline, il faut s'entraîner deux fois par jour et voyager constamment pour prendre part aux épreuves. Acquérir de l'expérience est indispensable si l'on espère pouvoir gravir les échelons, un à un, vers le sommet.

Grâce à ce soutien, Karine a représenté le Canada au 800 m lors du Championnat du monde d'athlétisme à Moscou en 2013, et par la suite lors des Jeux du Commonwealth à Glasgow en 2014. Son entraîneur (bibi) a eu l'occasion de l'accompagner lors de quelques voyages à l'étranger. En plus, grâce aux exploits de mon athlète, j'ai eu l'honneur de recevoir en 2013 le titre d'entraîneur de l'année en athlétisme au Québec, dans la catégorie internationale.

## JE RÊVE

Je rêve d'un jour où des histoires heureuses comme celle-ci se multiplieront. Oui, c'est un appel au mécénat que je fais là, mais je lance l'idée : pourquoi ne développerions-nous pas davantage un mécénat collectif dans notre milieu? Un réseau par lequel des athlètes prometteurs seraient soutenus au moyen de la mise en commun de contributions individuelles plus modestes, mais récurrentes et bien ciblées? Remarquez, la même chose pourrait se faire en appui aux clubs qui se démarquent par leur contribution au bien-être collectif.

Utopie? Peut-être. Mais admettons que les outils pour y arriver sont souvent déjà en place. Plusieurs athlètes d'élite, par exemple, se dotent d'un site web personnel et d'applications financières en ligne facilitant les contributions. Des organismes comme Sports Québec ont créé des programmes et des fonds destinés aux mêmes fins. Il suffirait de passer le mot et de coordonner nos efforts pour donner et aider davantage.

**Merci à Claude Roy de Médiagrif et à l'entreprise LesPAC.com de nous avoir permis, à Karine et à moi, de réaliser notre rêve!**

# 10:00

## ÉPILOGUE

# SI VOUS POUVIEZ ME DONNER UN SEUL CONSEIL, CE SERAIT LEQUEL?

Des coureurs, au cours de ma carrière, j'en ai rencontré de toutes les sortes. On n'entraîne pas tout le monde de la même façon. Surtout pas, par exemple, Marcel, 85 ans, et Étienne, 21 ans (Marcel est plus discipliné). Voici donc mon petit conseil à chacun de vous, qui que vous soyez. À vous de vous reconnaître!

**Le coureur excessif:**

Conseil: Excessif un jour, excessif toujours! Vas-y, fonce, un jour ton corps te parlera.

**Le coureur influençable:**

Conseil: Apprends à dire non à tes amis! Ton programme, ce n'est pas celui d'un autre.

**Le coureur toujours insatisfait:**

Conseil: Quand ça t'arrive, savoure pleinement ce record personnel.

**Le coureur trop confiant:**

Conseil: Méfie-toi de tes adversaires, car ils sont en grande forme!

**Le coureur rigoureux:**

Conseil: Continue dans cette direction, car un jour, ça sera payant.

### Le coureur de jupons :

Conseil : Un jour, tu vas connaître l'échec, car la compétition est féroce !

### Le coureur orgueilleux :

Conseil : Évite de regarder trop souvent tes résultats, jette plutôt un coup d'œil à ceux de tes adversaires.

### Le coureur travaillant :

Conseil : Surtout, ne lâche pas, la persévérance et la détermination sont les clés de la réussite !

### Le coureur talentueux :

Conseil : Garde la tête froide et continue à travailler.

### Le coureur démotivé :

Conseil : Va gagner une petite course sur route, c'est toujours bon pour le moral !

### Le coureur blessé :

Conseil : Pour qu'il n'y ait pas de prochaine fois, apprends à détecter rapidement les signes avant-coureurs.

### Le coureur surentraîné :

Conseil : Reste sur ton appétit pour éviter les indigestions.

### Le coureur nerveux :

Conseil : Aie confiance et oublie le chrono.

### Le coureur du dimanche :

Conseil : Je te souhaite du soleil, sinon reprends-toi lundi !

### Le coureur estival :

Conseil : C'est bien, mais ne rêve pas trop de te rendre un jour aux Jeux olympiques !

### Le coureur de marathon :

Conseil : C'est comme un bon dessert, il faut éviter les abus !

**Le coureur hivernal :**

Conseil : Méfie-toi des plaques de la glace, ce sont tes pires ennemies.

**Le coureur ambitieux :**

Conseil : Respecte en tout temps ton plan de match !

**Le coureur débutant :**

Conseil : Ne cours pas trop vite, ni trop longtemps, ni trop souvent.

**Le coureur confirmé :**

Conseil : Donne-toi des objectifs réalistes et garde les deux pieds sur terre !

**Le coureur d'élite :**

Conseil : Ne renonce jamais à tes rêves, mais écoute ton entraîneur.

**Le coureur vieillissant :**

Conseil : Savoure tes exploits du bon vieux temps et vises-en de nouveaux, différents !

Et pour tous, une citation de mon vieil ami Yves Seigneuric, acteur important du milieu de l'athlétisme en France :

« Plus tu cours, plus c'est facile.
Plus c'est facile, plus t'as envie d'en faire.
Plus t'as envie d'en faire, plus tu cours. »

# REMERCIEMENTS

J'aimerais remercier tous mes amis de la grande famille du club Les Vainqueurs, athlètes, entraîneurs et spécialistes que nous fréquentons, dont certains ont collaboré au contenu de ce livre, pour l'inspiration qu'ils m'apportent depuis toujours.

Aux milliers de *fans* et lecteurs des deux tomes de *Courir au bon rythme* que j'ai eu la chance de rencontrer dans de nombreuses présentations publiques un peu partout au Québec et qui m'ont aidé à concocter les 76 questions et réponses de cet ouvrage, je dis aussi merci.

## JE REMERCIE EN PARTICULIER

Mon collègue Robert Smilga pour sa généreuse contribution à la rédaction de ce bouquin et sa capacité d'en enrichir le contenu, pour le plus grand bénéfice de nos lecteurs.

Mes deux marathoniennes préférées, ma fille, Janie Cloutier, pour son rayonnement et sa fraîcheur, et ma sœur, Josée Cloutier, pour son dévouement et sa grande détermination.

Mes deux bleuets, ma conjointe Guylaine Lebeuf, qui m'a accompagné avec grande sénérité dans la préparation de ce livre, et mon amie et athlète, Marie-Caroline Côté, pour sa fidélité et sa collaboration de toujours.

Merci à toute l'équipe des Éditions La Presse, qui a eu cette ouverture de nous accueillir en 2011, Michel Gauthier et moi, et qui me permet de poursuivre cette belle aventure avec un troisième ouvrage en cinq ans sur la course à pied.

En terminant, un grand merci à Nathalie Guillet, notre éditrice déléguée, pour sa vision, sa rigueur et son expérience, elle qui nous oriente toujours dans la bonne direction.